DEL REY ABAJO,
NINGUNO

Francisco de Rojas Zorrilla

DEL REY ABAJO,

NINGUNO

Edited by

Raymond R. MacCurdy

University of New Mexico

PRENTICE-HALL, INC., ENGLEWOOD CLIFFS, NEW JERSEY

Prentice-Hall International, Inc., *London*
Prentice-Hall of Australia, Pty. Ltd., *Sydney*
Prentice-Hall of Canada, Ltd., *Toronto*
Prentice-Hall of India Private Limited, *New Delhi*
Prentice-Hall of Japan, Inc., *Tokyo*

13-197947-7

Library of Congress Catalog Card No. 71-109106

Current printing (last digit):
10 9 8 7 6 5 4 3 2 1

Printed in the United States of America

Preface

The text of this edition of *Del rey abajo, ninguno* is based on that published by F. Ruiz Morcuende in Vol. 35 of *Clásicos Castellanos* (Madrid, 1917), which is based in turn on a seventeenth-century edition printed without place or date. The text has been collated with that of the following editions: Ramón de Mesonero Romanos in Vol. 54 of the *Biblioteca de Autores Españoles* (Madrid, 1866), Pablo Pou Fernández in Vol. 55 of the *Biblioteca Clásica Ebro* (Zaragoza, 1950), and the edition published in Vol. 225 of the *Colección Teatro* (Madrid, 1959). I have tried to choose the best variant readings.

The accentuation and punctuation have been modernized. The spelling has also been modernized, except for a number of easily recognizable old forms (such as *agora, perfeto, dotrina,* etc.), or when the versification would be affected by changing the orthography.

The notes are designed to give essential information on historical, mythological, and topical references in the play, and to serve as linguistic and literary aids in understanding the text. In general, words which are defined in Manuel Durán's *Programmed Spanish Dictionary* (Prentice-Hall, Englewood Cliffs, N.J., 1969) are not noted. The *Cuestionarios* have been designed to stimulate the student's response to the more important literary aspects of the play and to provide material for class discussion.

I would like to express my sincere thanks to Mrs. Ann Light Johnson for her generous help in preparing the manuscript for publication.

RAYMOND R. MACCURDY

Albuquerque, New Mexico

Indice

DEL REY ABAJO,
NINGUNO

Introducción

VIDA Y OBRA DE ROJAS

Nacido en Toledo en 1607, Francisco de Rojas Zorrilla contaba menos de tres años cuando sus padres se trasladaron a Madrid. Hizo sus primeros estudios en una escuela particular en la capital, y se cree que más tarde fue estudiante en la Universidad de Salamanca, cuyo ambiente estudiantil está pintado con intimidad en sus dos comedias *Obligados y ofendidos* (*El gorrón de Salamanca*) y *Lo que quería ver el Marqués de Villena.* Sin embargo, no figura el nombre de Rojas en los libros de matrícula de Salamanca, ni en los de la Universidad de Alcalá de Henares.

La actuación literaria de Rojas en la Corte empieza hacia 1630, cuando tuvo la buena fortuna de colaborar con algunos de los dramaturgos más destacados del reino: con Pedro Calderón de la Barca, Luis Vélez de Guevara, Antonio Coello y otros. Pronto Rojas se estableció como uno de los autores favoritos de la Corte. Después de la muerte de Lope de Vega en 1635, su rival más potente por los aplausos de los espectadores era su gran amigo y colaborador Calderón, autor de *La vida es sueño.* Entre 1635 y 1640 está Rojas en la cumbre de su carrera de escritor. En aquel año se estrenaron siete comedias suyas —ya propias, ya escritas en colaboración— en los teatros del Palacio Real y del Buen Retiro. En el año siguiente se representaron en los mismos teatros otras cinco más. Una obra de Rojas —*Los bandos de Verona*, que trata del tema de Romeo y Julieta— fue escogida para inaugurar, el 4 de febrero de 1640, el nuevo y grandioso coliseo del Buen Retiro. Esta es la última comedia suya que se puede fechar con certeza, aunque se sabe que después de esta fecha escribió varios autos sacramentales, dramas religioso-alegóricos que se representaban en la fiesta de Corpus Christi. Rojas murió el 23 de enero de 1648, cuando tenía cuarenta años.

Durante su vida Rojas dio a la imprenta dos tomos de sus comedias, cada tomo conteniendo doce títulos: *Primera parte de las comedias de don Francisco de Rojas Zorrilla* (Madrid, 1640), y la *Segunda parte* (Madrid, 1645). Por ahora, se le atribuyen, con más o menos seguridad, treinta y cinco comedias propias conocidas, quince escritas en colaboración, y nueve autos sacramentales. Rojas se distingue, a la vez, por el vigor trágico (*Lucrecia y Tarquino, Progne y Filomena*) y por la fuerza cómica (*Entre bobos anda el juego, Donde hay agravios no hay celos*). Otra característica de su arte, que debe mencionarse, es la importancia dada a la mujer, o como vengadora de su honor o como defensora de su derecho de elegir su propio marido (*Cada cual lo que le toca*). Dotado de un genio eminentemente original, Rojas se esforzaba por renovar el teatro de su tiempo con temas y conflictos muy poco comunes en la época, pero su afán de ser diferente le hizo perder, a veces, el equilibrio y prodigarse en exageraciones. Así y todo su fuerza creadora le asegura un alto puesto en el teatro español.

DEL REY ABAJO, NINGUNO

Datos de publicación

Una de las comedias más famosas del teatro español del siglo XVII, *Del rey abajo, ninguno* es considerada como la obra maestra de Rojas, aunque no se sabe por seguro si él la escribió. Fue impresa por primera vez en la *Parte 42* de *Comedias de diferentes autores* (Zaragoza, 1650), donde va atribuida al eminente dramaturgo y amigo de Rojas, don Pedro Calderón de la Barca. Calderón, sin embargo, negó la paternidad de la obra. La segunda edición es también del siglo XVII, que no lleva ni el lugar ni el año de publicación, pero sí consta el nombre de Rojas como autor. El título completo de esta edición es *El labrador más honrado García del Castañar*. Todas las ediciones posteriores de la obra, sin excepción, van atribuidas a Rojas.

El argumento

Cuando empieza el drama, el rey don Alfonso XI escucha la petición de don Mendo de hacerle caballero de la Orden de la Banda. El rey sigue con los preparativos para su campaña contra los moros en Algeciras, campaña para la cual un supuesto labrador, García del Castañar, ha ofrecido por escrito contribuir grandes cantidades de provisiones. Sorprendido por la generosidad del desconocido labrador, de quien le da noticias el Conde de Orgaz, el rey decide ir de incógnito a ver a su vasallo. Va acompañado de don Mendo, que lleva puesta la banda recién conferida.

En el Castañar, donde se ha retirado por motivos políticos, García vive felizmente con su esposa, Blanca. Informado por el Conde de Orgaz de la próxima visita del rey, "que es el de la banda roja", García recibe cortésmente a los huéspedes, tomando a don Mendo por el rey. Don Mendo se prenda de Blanca, y al verse rechazado por ella, determina volver al Castañar cuando su marido esté ausente. Una noche cuando García ha ido de caza, el cortesano sube una escala y entra en la habitación de Blanca. Al poco rato vuelve García, que, creyendo que don Mendo es el rey, le deja salir.

Convencido de que el rey es culpable de ofenderle, a García se le presenta un conflicto entre su lealtad al rey, la cual no le permite vengarse, y su honor agraviado. El afligido marido no ve más solución que matar a su adorada esposa, aunque no tiene la menor duda de su inocencia. Blanca logra escaparse, y cuando el Conde de Orgaz la encuentra en el monte, la envía a la Corte en Toledo. La reina pide a don Mendo que la guarde, pero éste sigue cortejándola. Llega García para llevársela, pero don Mendo, a quien el marido todavía toma por el rey, lo impide. Cuando aparece el rey don Alfonso, García se da cuenta de su error. En una habitación apartada él da muerte al cortesano; luego vuelve ante los reyes, relatándoles por qué vivía disfrazado de labrador y cómo se vio obligado a matar a don Mendo. Termina su relación, afirmando: "no he de permitir me agravie / del rey abajo, ninguno."

Temas

El conflicto dramático de *Del rey abajo, ninguno* se basa en el código de honor, según el cual el marido cuyo honor fuera manchado por la infidelidad de su esposa debía vengarse —o limpiarse el honor— matando a la adúltera y a su amante. En el teatro del siglo XVII, donde las provisiones del código de honor solían ser exageradas para que se lograran efectos sumamente dramáticos, era posible que el marido matara no sólo a la mujer infiel, sino también a la que, aunque no fuera culpable de adulterio, era responsable, por falta de prudencia, de poner en tela de juicio su honor. Tal es el caso en *El médico de su honra* de Calderón, obra en que doña Mencía muere a manos de su marido porque las circunstancias hacen que ella aparezca infiel.

En el drama de Rojas se intensifica el conflicto porque el honor de García es amenazado por una persona que él toma por el rey. Los españoles de la época veneraban a sus reyes como representantes de Dios en la tierra (aunque, claro está, que se daban cuenta de sus debilidades como seres humanos), y, por consiguiente, la persona del monarca era inviolable. Así es que un vasallo no podía vengarse de ninguna ofensa hecha por el rey, incluso el intento de seducir a su esposa. Pero como indica el título —y como afirma el mismo García en la última escena cuando habla con el rey Alfonso— el vasallo de honor no dejaría de vengarse de ningún ofensor que no fuera el rey. El conflicto del drama de Rojas —y el terrible dilema que se le presenta a García— resulta precisamente del choque de dos ideales españoles: la lealtad debida al rey y el honor personal.

El choque de estos dos ideales es bastante común en el teatro español, pero lo que da a la obra de Rojas un hondo sentido de tragedia es la decisión que García se ve obligado a hacer. Para satisfacer el código de honor y su propio honor agraviado, no tiene más remedio que matar a Blanca, a quien adora, aunque cree en su inocencia. Rojas se cuidó mucho de demostrar el gran amor de los esposos, y la "obligación" de García de sacrificarla hace más penoso el conflicto entre la lealtad y el honor. En otros dramas de honor los maridos suelen quejarse de la inhumana conducta que el código les impone, pero es probable que no haya ninguna otra obra en la cual se plantea tan sensiblemente el conflicto entre el deber y el sentimiento personal. No es mucho que García pierda el sentido al tratar de hundir el puñal en el pecho de Blanca, fenómeno psicológico producido por su gran dolor.

Otro tema de importancia en *Del rey abajo, ninguno* es el elogio de la vida campestre, tema que figura en varias obras de Lope de Vega, especialmente en *Peribáñez y el comendador de Ocaña* y *El villano en su rincón*, comedias que influyeron en la obra de Rojas. Quizás no haya más concisa expresión de este tema que en el título de una obra en prosa del obispo Antonio de Guevara, *Del menosprecio de la corte y alabanza de la aldea* (1539), obra traducida al inglés y al francés que gozaba de popularidad en el extranjero. El título de la traducción inglesa hecha por Sir Francis Bryan, *A Dispraise of the Life of a Courtier and a Commendation of the Life of a Labouryng Man*, enfoca claramente en la oposición entre la vida frívola y hasta corrupta del cortesano y la vida virtuosa y sana del campesino. Desde luego, en la obra de Rojas dicha oposición es representada por don Mendo y García del Castañar.

El contraste entre corte y campo, entre el cortesano frívolo y el labrador honrado, está vinculado con otro importante tema de la comedia: las diferencias entre apariencias y realidad. Se perciben estas diferencias en la primera escena cuando don Mendo le pide al rey que le haga caballero de la Banda. Aparentemente, el cortesano es una persona que merece tan alto honor, y se le confiere la banda solicitada. Por eso la banda roja viene a ser no sólo la causa de la confusión de García sobre la identidad del rey, sino que también es el signo externo —y engañoso— de la nobleza de su portador.

Al mismo tiempo que el interesado don Mendo pide favores, el desinteresado García, en su carta, ofrece ayudar al rey. Todavía no se sabe que García es de sangre noble, pero el rey decide ir al Castañar a descubrir un "tesoro sepultado". En efecto, a lo largo de la comedia don Mendo ostenta su nobleza y obra mal, mientras que García encubre su verdadera nobleza y obra bien. No se resuelve este juego de apariencias y realidad hasta la escena final cuando García, después de matar a don Mendo, revela por qué ha vivido disfrazado de campesino. El Conde de Orgaz, conocedor de la historia de García y Blanca, confirma el caso: "Verdades / que es forzoso descubrir."

Estilo

Rojas empezó a escribir para el teatro poco después de la muerte en 1627 del poeta cordobés Luis de Góngora, cuyo estilo poético influyó grandemente en los jóvenes escritores de la generación de Calderón. El estilo de Góngora, denominado *gongorismo* o *culteranismo*, se caracteriza por un vocabulario esotérico, metáforas extravagantes y, a veces, obscuras (pero a menudo hermosísimas), y muchas alusiones mitológicas. Aunque en varias comedias Rojas se burla del culteranismo, *Del rey abajo, ninguno* revela muchos elementos gongorinos, especialmente en los monólogos de García. En cambio, los criados de la obra hablan, por lo general, de una manera sumamente natural y rústica. Bras, en particular, habla un dialecto llamado *sayagués* (nombre derivado del pueblo de Sayago en la provincia de Salamanca) que llegó a ser el lenguaje convencional de muchos campesinos en el teatro español. Así que el estilo de *Del rey abajo, ninguno* incorpora elementos aristocráticos y populares, conforme a los personajes y las situaciones dramáticas de la obra.

Versificación

En las siguientes tablas de versificación se presentan las formas poéticas que se emplean en la obra. Al señalar la rima, las letras minúsculas indican que los versos son de ocho sílabas o menos; las mayúsculas indican que los versos son de nueve sílabas o más. Las formas son:

Redondilla, estrofa de cuatro versos octosílabos (de ocho sílabas), con la rima *abba*.

Romance, que consta de un número indeterminado de versos octosílabos, de los cuales los pares son asonantes y los impares no tienen rima.

Sextilla, combinación métrica de seis versos alternantes de siete y once sílabas, con la rima *aBaBcC*.

Soneto, combinación de catorce versos de once sílabas distribuidos en dos cuartetos y dos tercetos, con la rima (en esta obra) *ABBA ABBA CDC CDC*.

Silvas pareadas, versos de siete y once sílabas, sin orden fijo, que riman en parejas: *aA . . . xX*.

Silvas (no pareadas), que constan de versos de siete y once sílabas, sin orden determinado y sin rima fija, aunque pueda haber algunas parejas con rima.

Décima, combinación métrica de diez versos octosílabos, con la rima *abbaaccddc*.

El lector debe tratar de determinar cómo las diversas formas métricas corresponden a diferentes situaciones dramáticas.

Versificación

JORNADA PRIMERA

Versos	Forma	Rima o asonancia
1–92	Redondillas	*abba*
93–176	Romance	(í–a)
177–220	Redondillas	*abba*
221–262	Sextillas	*aBaBcC*
263–274	Canción	
275–290	Redondillas	*abba*
291–318	Sonetos	*ABBA ABBA CDC CDC*
319–836	Redondillas	*abba*

JORNADA SEGUNDA

837–1060	Redondillas	*abba*
1061–1166	Silvas pareadas	*xX*
1167–1228	Romance	(o–e)
1229–1238	Décima	*abbaaccddc*
1239–1266	Redondillas	*abba*
1267–1268	Canción	
1269–1272	Redondilla	*abba*

1273–1274	Canción	
1275–1278	Redondilla	*abba*
1279–1280	Canción	
1281–1360	Redondillas	*abba*
1361–1450	Décimas	*abbaaccddc*
1451–1478	Redondillas	*abba*
1479–1489	Silvas	Sin rima fija
1490–1683	Romance	(e–o)

JORNADA TERCERA

1684–1896	Silvas pareadas	*xX*
1897–1936	Décimas	*abbaaccddc*
1937–2082	Romance	(a–e)
2083–2118	Redondillas	*abba*
2119–2308	Décimas	*abbaaccddc*
2309–2356	Redondillas	*abba*
2357–2554	Romance	(u–o)
2555–2574	Redondillas	*abba*

Del rey abajo, ninguno

PERSONAJES

Don García, *labrador*
Doña Blanca, *labradora*
Teresa, *labradora*
Belardo, *viejo*
El Rey
La Reina
Don Mendo
Bras
El Conde de Orgaz, *viejo*
Tello, *criado*
Dos Caballeros
Músicos y Labradores

JORNADA PRIMERA

(*Sale el* REY[1] *con banda roja atravesada, leyendo un memorial, y* DON MENDO.)

REY

Don Mendo, vuestra demanda[2]
he visto.

MENDO

Decid querella;[3]
que me hagáis, suplico en ella,
caballero de la Banda.[4]
5   Dos meses ha[5] que otra vez
esta merced he pedido;
diez años os he servido
en Palacio y otros diez
en la guerra, que mandáis
10   que esto preceda primero
a quien fuere[6] caballero

---

1 **Rey:** Alfonso XI, rey de Castilla y León (1312–1350).
2 **demanda:** petición.
3 **querella:** queja.
4 **Banda:** Orden de la Caballería de la Banda, establecida por Alfonso XI en 1332. No se admitían en la Orden más que nobles o hidalgos que hubieran servido por lo menos diez años en el palacio real o en las guerras contra los moros. Los caballeros de la Banda llevaban como insignia una banda roja que atravesaba el pecho.
5 **dos meses ha:** hace dos meses.
6 **fuere:** futuro de subjuntivo de *ser*, ahora poco usado. En uso corriente se emplearía *sea*, el presente de subjuntivo.

de la insignia que ilustráis.
    Hallo, señor, por mi cuenta,
que la puedo conseguir,
15   que, si no, fuera pedir
una merced para afrenta.
    Respondióme[7] lo vería;
merezco vuestro favor,
y está en opinión,[8] señor,
20   sin ella la sangre mía.

REY

Don Mendo, al Conde llamad.

MENDO

Y a mi ruego, ¿qué responde?

REY

Está bien; llamad al Conde.

MENDO

El Conde viene.

REY

Apartad.

(*Sale el* CONDE *con un papel.*)

MENDO

25   Pedí con satisfacción
la Banda, y no la pidiera
si primero no me hiciera

---

[7] **respondióme:** Nótese que el sujeto sobrentendido es *Vuestra Alteza*.
[8] **estar en opinión:** estar en tela de juicio.

yo propio mi información.[9]

REY

¿Qué hay de nuevo?

CONDE

En Algecira
30 temiendo están vuestra espada;
contra vos, el de Granada,[10]
todo el Africa conspira.

REY

¿Hay dineros?

CONDE

Reducido
en éste[11] veréis, señor,
35 el donativo[12] mayor
con que el reino os ha servido.

REY

¿La información cómo está
que os mandé hacer en secreto,
Conde, para cierto efeto[13]
40 de don Mendo? ¿Hízose ya?

CONDE

Sí, señor.

---

[9] **información:** investigación de la limpieza de sangre y de las otras calidades necesarias para que una persona sea admitida en las órdenes militares. No se admitían personas de sangre judía o morisca.

[10] **el de Granada:** el rey de Granada, Yusuf I (1333–1354).

[11] **reducido en éste:** contenido en este papel.

[12] **donativo:** "donation".

[13] **efeto:** efecto ("purpose").

Rey

¿Cómo ha salido?
La verdad, ¿qué resultó?

Conde

Que es tan bueno como yo.

Rey

La gente con que ha servido
45   mi reino, ¿será bastante
para aquesta empresa?

Conde

Freno
seréis, Alfonso el Onceno,
con él del moro arrogante.

Rey

Quiero ver, Conde de Orgaz,[14]
50   a quién deba hacer merced
por sus servicios. Leed.

Conde

El reino os corone en paz
adonde el Genil felice[15]
arenas de oro reparte.

Rey

55   Guárdeos Dios, cristiano Marte.
Leed, don Mendo.

---

[14] **Conde de Orgaz:** don Gonzalo Ruiz Illán de Toledo, tutor del rey Alfonso XI,
murió en 1323, antes de la campaña contra Algeciras que tuvo lugar en 1342.

[15] **Genil felice:** el río Genil pasa por Granada y riega la vega granadina; *felice* (*feliz*)
muestra la *e* paragógica que es común en poesía.

MENDO

Así dice:
"Lo que ofrecen los vasallos
para la empresa a que aspira
Vuestra Alteza, de Algecira:
60   En gente, plata y caballos,
        don Gil de Albornoz[16] dará
diez mil hombres sustentados;
el de Orgaz, dos mil soldados;
el de Astorga llevará
65   cuatro mil, y las ciudades
pagarán diez y seis mil;
con su gente hasta el Genil
irán las tres Hermandades[17]
        de Castilla; el de Aguilar,
70   con mil caballos ligeros,
mil ducados en dineros;
García del Castañar[18]
        dará para la jornada
cien quintales de cecina,[19]
75   dos mil fanegas de harina
y cuatro mil de cebada;
        catorce cubas[20] de vino,
tres hatos de sus ganados,
cien infantes alistados,[21]
80   cien quintales de tocino;
        y doy esta poquedad,

---

[16] **don Gil Alvarez Carrillo de Albornoz:** (1310–1367), capellán de la Corte y arzobispo de Toledo, tomó parte en la conquista de Algeciras.

[17] **Hermandad:** institución organizada para mantener el orden público y juzgar a los malhechores. Las tres Hermandades de Castilla, en la época, eran las de León, Toledo y Extremadura.

[18] **Castañar:** pueblecito, ya despoblado, en la provincia de Toledo.

[19] **cecina:** carne seca. Un quintal es un peso de cien libras.

[20] **cuba:** "cask".

[21] **cien infantes alistados:** una compañía de cien soldados de infantería.

porque el año ha sido corto,[22]
mas ofrézcole, si importo
también a Su Majestad,
85   un rústico corazón
de un hombre de buena ley,[23]
que aunque no conoce al Rey,
conoce su obligación."

REY

¡Grande lealtad y riqueza!

MENDO

90   Castañar, humilde nombre.

REY

¿Dónde reside este hombre?

CONDE

Oiga quién es Vuestra Alteza:
    Cinco leguas de Toledo,
Corte vuestra[24] y patria mía,
95   hay una dehesa, adonde[25]
este labrador habita,
que llaman el Castañar,
que con los montes confina,
que desta imperial España
100   son posesiones antiguas.
En ella un convento yace

---

[22] **corto:** malo, en cuanto a la producción agrícola.
[23] **de buena ley:** leal.
[24] **Corte vuestra:** Toledo fue la capital de España hasta 1560 cuando fue trasladada a Madrid.
[25] **dehesa, adonde:** prado, en donde.

al pie de una sierra fría,
del Caballero de Asís,[26]
de Cristo efigie divina,
105   porque es tanta de Francisco
la humildad que le entroniza,
que aun a los pies de una sierra
sus edificios fabrica.[27]
Un valle el término[28] incluye
110   de castaños, y apellidan
del Castañar, por el valle,
al convento y a García,
adonde, como Abraham,
la caridad ejercita,
115   porque en las cosechas andan
el Cielo y él a porfía.[29]
Junto del[30] convento tiene
una casa, compartida
en tres partes: una es
120   de su rústica familia,[31]
copioso albergue[32] de fruto
de la vid y de la oliva,
tesoro donde se encierra
el grano de las espigas,
125   que es la abundancia tan grande
del trigo que Dios le envía,
que los pósitos de España

---

[26] **Caballero de Asís:** San Francisco de Asís (1182–1226), fundador de la orden monástica de los franciscanos. Actualmente, el convento de Castañar se encuentra completamente arruinado.

[27] Los versos 101–108 ejemplifican las figuras y comparaciones exageradas del estilo barroco.

[28] **término:** región.

[29] **andan . . . a porfía:** es decir que el cielo y García se rivalizan en distribuir generosamente las cosechas.

[30] **junto del:** junto al.

[31] **rústica familia:** se refiere a los criados y obreros de García.

[32] **albergue:** lugar en que se hospeda gente (usado aquí figurativamente).

son de sus trojes hormigas;[33]
es la segunda[34] un jardín,
130 cuyas flores, repartidas,
fragantes estrellas son
de la tierra y del sol hijas,
tan varias y tan lucientes,
que parecen, cuando brillan,
135 que bajó la cuarta esfera[35]
sus estrellas a esta quinta;[36]
es un cuarto la tercera,[37]
en forma de galería,
que de jaspes de San Pablo,[38]
140 sobre tres arcos estriba;
ilústranle unos balcones
de verde y oro, y encima
del tejado de pizarras,
globos de esmeraldas finas;
145 en él vive con su esposa
Blanca, la más dulce vida
que vio el amor, compitiendo
sus bienes con sus delicias,
de quien no copio, señor,
150 la beldad, que el sol envidia,
porque agora no conviene
a la ocasión ni a mis días:
baste deciros que siendo
sus riquezas infinitas,
155 con su esposa comparadas,

---

33 pósitos . . . hormigas: es decir que los trojes ("barns") de García tienen tanta abundancia de trigo que pueden proveer a los pósitos ("public granaries") de España, como si éstos fueran hormigas.

34 segunda: la segunda parte de la casa.

35 cuarta esfera: se refiere al sol, la cuarta de las once esferas concéntricas que rodeaban la tierra, según la interpretación del siglo XVII del sistema de Ptolomeo.

36 quinta: hacienda.

37 tercera: la tercera parte de la casa. Nótese como el autor juega con palabras que parecen números (*cuarta esfera, quinta, cuarto*, etc.), pero no todos lo son.

38 jaspes de San Pablo: San Pablo de los Montes, pueblo en la provincia de Toledo, es famoso por la variedad y calidad de su mármol.

es la menor de sus dichas.
Es un hombre bien dispuesto,
que continuo[39] se ejercita
en la caza, y tan valiente,
160   que vence a un toro en la lidia.
Jamás os ha visto el rostro
y huye de vos, porque afirma
que es sol el Rey y no tiene
para tantos rayos vista.
165   García del Castañar
es éste, y os certifica
mi fe que, si le lleváis
a la guerra de Algecira,
que llevéis a vuestro lado
170   una prudencia que os rija,
una verdad sin embozo,
una agudeza advertida,
un rico sin ambición,
un parecer sin porfía,
175   un valiente sin discurso
y un labrador sin malicia.

Rey

¡Notable hombre!

Conde

                  Os prometo
que en él las partes[40] se incluyen,
que en Palacio constituyen
180   un caballero perfeto.

Rey

¿No me ha visto?

---

[39] **continuo:** continuamente.
[40] **parte:** cualidad.

CONDE

Eternamente.[41]

REY

Pues yo, Conde, le he de ver:
dél experiencia he de hacer;[42]
yo y don Mendo solamente
185   y otros dos, hemos de ir;
pues es el camino breve,
la cetrería[43] se lleve
por que podamos fingir
que vamos de caza, que hoy
190   desta suerte le he de hablar,
y en llegando al Castañar,
ninguno dirá quién soy.
¿Qué os parece?

CONDE

La agudeza
a la ocasión corresponde.

REY

195   Prevenid caballos, Conde.

CONDE

Voy a serviros.

(*Vase, y sale la* REINA.)[44]

MENDO

Su Alteza.

---

41 **eternamente:** nunca.
42 **experiencia . . . hacer:** he de hacer prueba de él.
43 **cetrería:** falcones para la caza.
44 **Reina:** doña María de Portugal.

REINA

¿Dónde, señor?

REY

A buscar
un tesoro sepultado
que el Conde ha manifestado.

REINA

200   ¿Lejos?

REY

En el Castañar.

REINA

¿Volveréis?

REY

Luego que ensaye
en el crisol[45] su metal.

REINA

Es la ausencia grave mal.

REY

Antes que los montes raye
205   el sol, volveré, señora,
a vivir la esfera mía.

REINA

Noche es la ausencia.

---

[45] **crisol:** "crucible".

REY

Vos, día.

REINA

Vos, mi sol.

REY

Y vos, mi aurora.

(*Vase la* REINA.)

MENDO

¿Qué decís de mi demanda?

REY

210   De vuestra nobleza estoy
satisfecho, y pondré hoy
en vuestro pecho esta banda;
        que si la doy por honor
a un hombre indigno, don Mendo,
215   será en su pecho remiendo[46]
en tela de otro color;
        y al noble seré importuno
si a su desigual permito,
porque, si a todos admito,
220   no la estimará ninguno.

(*Vanse, y sale* DON GARCÍA, *labrador.*)

GARCÍA

Fábrica[47] hermosa mía,

---

46 **remiendo:** parche.
47 **fábrica:** edificio.

habitación de un infeliz dichoso,[48]
oculto desde el día
que el castellano pueblo victorioso,
225   con lealtad oportuna,
al niño Alfonso[49] coronó en la cuna.

En ti vivo contento,
sin desear la Corte o su grandeza,
al ministerio atento
230   del campo, donde encubro mi nobleza,
en quien fui peregrino[50]
y extraño huésped, y quedé vecino.[51]

En ti, de bienes rico,
vivo contento con mi amada esposa,
235   cubriendo su pellico
nobleza,[52] aunque ignorada, generosa;
que, aunque su ser ignoro,[53]
sé su virtud y su belleza adoro.

En la casa vivía
240   de un labrador de Orgaz, prudente y cano;
vila, y dejóme un día,
como suele quedar en el verano,
del rayo a la violencia,
ceniza el cuerpo, sana la apariencia.

245   Mi mal consulté al Conde,[54]
y asegurando que en mi esposa bella

---

[48] **infeliz dichoso:** Aunque García vive dichoso como campesino, es un infeliz por los motivos políticos que le hicieron adoptar tal vida. Dichos motivos se explican al final de la obra.

[49] **niño Alfonso:** Alfonso XI nació en 1312, el mismo año en que murió su padre, Fernando IV.

[50] **en quien fui peregrino:** en que fui forastero.

[51] En esta estrofa García expresa uno de los temas importantes de la obra: la superioridad de la vida del campo sobre la de la Corte, tema común en las obras dramáticas de Lope de Vega.

[52] **cubriendo...nobleza:** es decir que el pellico (especie de abrigo de pieles llevado por los campesinos) cubre o esconde la noble sangre de su esposa.

[53] **aunque...ignoro:** aunque no sé nada de su indentidad.

[54] **mi mal consulté al Conde:** pedí consejo al Conde en mis infortunios.

sangre ilustre se esconde,
caséme amante y me ilustré con ella,
que acudí, como es justo,
250   primero a la opinión[55] y luego al gusto.
     Vivo en feliz estado,
aunque no sé quién es y ella lo ignora,
secreto reservado
al Conde, que la estima y que la adora;
255   ni jamás ha sabido
que nació noble el que eligió marido
     mi Blanca, esposa amada,
que divertida entre sencilla gente,
de su jardín traslada
260   puros jazmines a su blanca frente.
Mas ya todo me avisa
que sale Blanca, pues que brota risa.

(*Salen* DOÑA BLANCA, *labradora, con flores;* BRAS, TERESA *y*
BELARDO, *viejo, y* MÚSICOS PASTORES.)

MÚSICOS

Esta es blanca como el sol,
     que la nieve no.[56]
265   *Esta es hermosa y lozana,*
          como el sol,
     que parece a la mañana,
          como el sol,
     que aquestos campos alegra,
270   *como el sol,*
     con quien[57] *es la nieve negra*
     y del almendro la flor.

---

[55] **opinión:** juicio.
[56] **que la nieve no:** es decir que ella es más blanca que la nieve. La canción (versos 263–274)
es de tipo tradicional, cantada en fiestas de boda, bautismos, etc.
[57] **con quien:** en comparación con la cual.

> Esta es blanca como el sol,
> que la nieve no.

García

275 Esposa, Blanca querida,
injustos son tus rigores
si por dar vida a las flores
me quitas a mí la vida.

Blanca

Mal daré vida a las flores
280 cuando pisarlas suceda,
pues mi vida ausente queda,
adonde animas amores;[58]
   porque así quiero, García,
sabiendo cuánto me quieres,
285 que si tu vida perdieres,
puedas vivir con la mía.

García

No habrá merced que sea mucha,
Blanca, ni grande favor
si le[59] mides con mi amor.

Blanca

290 ¿Tanto me quieres?

García

Escucha:
No quiere el segador el aura fría,

---

[58] **Mal . . . amores:** Blanca quiere decir que no puede dar vida a las flores, porque su vida queda dondequiera se encuentre García, que anima su amor.

[59] **le:** lo, objeto directo cuyos antecedentes son *merced* y *favor*.

ni por abril el agua mis sembrados,
ni yerba en mi dehesa mis ganados,
ni los pastores la estación umbría,
295   ni el enfermo la alegre luz del día,
la noche los gañanes[60] fatigados,
blandas corrientes los amenos prados,
más que te quiero, dulce esposa mía;
     que si hasta hoy su amor desde el primero
300 hombre juntaran, cuando así te ofreces,
en un sujeto a todos los prefiero;[61]
     y aunque sé, Blanca, que mi fe agradeces,
y no puedo querer más que te quiero,
aún no te quiero como tú mereces.

BLANCA

305   No quieren más las flores al rocío,
que en los fragantes vasos[62] el sol bebe;
las arboledas la deshecha nieve,
que es cima de cristal y después río;
     el índice de piedra[63] al norte frío,
310 el caminante al iris cuando llueve,
la obscura noche la traición aleve,
más que te quiero, dulce esposo mío;
     porque es mi amor tan grande, que a tu nombre,
como a cosa divina, construyera
315 aras[64] donde adorarle, y no te asombre,
     porque si el ser de Dios no conociera,
dejara de adorarte como hombre,
y por Dios te adorara y te tuviera.

---

60 **gañán:** labrador ("farm hand").
61 **que si ... los prefiero:** "if all men from the first until today concentrated their love on one person, I would still exceed them in my love for you."
62 **vaso:** cáliz.
63 **índice de piedra:** piedra imán.
64 **aras:** altar.

BRAS

320

Pues están Blanca y García,
como palomos de bien,
resquiebrémonos[65] también,
porque desde ellotri[66] día
tu carilla me engarrucha.[67]

TERESA

Y a mí tu talle, mi Bras.

BRAS

325 ¿Mas que[68] te quiero yo más?

TERESA

¿Mas que no?

BRAS

Teresa, escucha:
Desde que te vi, Teresa,
en el arroyo a pracer,[69]
ayudándote a torcer

330

los manteles de la mesa,
y torcidos y lavados,
nos dijo cierto estodiante:[70]
"Así a un pobre pleiteante[71]
suelen dejar los letrados",

---

65 **resquiebrémonos:** Bras confunde los dos verbos *requebrar* (lisonjear) y *resquebrar* (empezar a quebrarse). Los campesinos del teatro del siglo XVII suelen hablar un dialecto llamado *sayagués*, que se originó en el pueblo de Sayago en la provincia de Salamanca.

66 **ellotri:** el otro.

67 **engarruchar:** atormentar. Nótese que Bras y Teresa imitan a García y Blanca al declararse el amor. Los amores parelelos entre amos y criados son frecuentes en el teatro de la época.

68 **mas que:** apostar que ("I bet you that").

69 **a pracer:** con placer.

70 **estodiante:** estudiante.

71 **pleiteante:** el que tiene pleito.

335   eres de mí tan querida
        como lo es de un logrero[72]
        la vida de un caballero
        que dio un juro de por vida.[73]

(*Sale* TELLO.)

TELLO

        Envidie, señor García,
340   vuestra vida el más dichoso.
        Sólo en vos reina el reposo.

BLANCA

¿Qué hay, Tello?

TELLO

                    ¡Oh, señora mía!
        ¡Oh, Blanca hermosa, de donde
        proceden cuantos jazmines
345   dan fragancia a los jardines!
        Vuestras manos besa el Conde.[74]

BLANCA

¿Cómo está el Conde?

TELLO

                            Señora,
a vuestro servicio está.

GARCÍA

Pues, Tello, ¿qué hay por acá?

---

[72] **logrero:** "moneylender".

[73] **que dio . . . por vida:** es decir que Bras ama a Teresa tanto como un logrero ama la vida de un caballero que ha jurado por su vida de pagar sus deudas.

[74] **vuestras . . . Conde:** el Conde os saluda respetuosamente.

TELLO

350 Escuchad apárte agora.
Hoy, con toda diligencia,
me mandó que éste os dejase
y respuesta no esperase.
Con esto, dadme licencia.

GARCÍA

355 ¿No descansaréis?

TELLO

Por vos
me quedara hasta otro día,
que no han de verme, García,
los que vienen cerca. Adiós. *(Vase.)*

GARCÍA

El sobre escrito es a mí.
360 ¿Mas que me riñe porque
corto el donativo fue
que hice al Rey? Mas dice así:
"El Rey, señor don García,
que su ofrecimiento vio,
365 admirado preguntó
quién era vueseñoría;
díjele que un labrador
desengañado y discreto,
y a examinar va en secreto
370 su prudencia y su valor.
No se dé por entendido,
no diga quién es al Rey,
porque, aunque estime su ley,
fue de su padre ofendido,[75]

---

[75] El rey don Alfonso fue ofendido porque creía que el padre de García era partidario de don Sancho de la Cerda, su rival al trono de Castilla.

375   y sabe cuánto le enoja
quien su memoria despierta.
Quede adiós, y el Rey, advierta
que es el de la banda roja.
    El Conde de Orgaz, su amigo."
380 Rey Alfonso, si supieras
quién soy, ¡cómo previnieras
contra mi sangre el castigo
de un difunto padre![76]

BLANCA

                Esposo,[77]
silencio y poco reposo
385 indicios de triste son.
    ¿Qué tienes?

GARCÍA

         Mándame, Blanca,
en éste el Conde, que hospede
a unos señores.

BLANCA

       Bien puede,
pues tiene esta casa franca.

BRAS

390   De cuatro rayos con crines,
generación española,[78]
de unos cometas con cola,

---

[76] **¡cómo previnieras . . . difunto padre!:** "how you would prepare for my family the punishment due my deceased father!"

[77] Falta el primer verso de esta redondilla.

[78] **rayos . . . generación española:** "streaks of lighting with manes, of Spanish breed".
La ligereza de los caballos españoles es un tema común en la literatura de la época.

o aves, y al fin rocines,
    que andan bien y vuelan mal,
395   cuatro bizarros señores,
    que parecen cazadores,
    se apean en el portal.

GARCÍA

No te des por entendida
de que sabemos que vienen.

TERESA

400   ¡Qué lindos talles que tienen!

BRAS

¡Pardiez,[79] que es gente llocida![80]

(*Salen el* REY *sin banda y* DON MENDO *con banda y otros dos* CAZADORES.)

REY

Guárdeos Dios, los labradores.

GARCÍA

(*Ap.*) (Ya veo al de la divisa.)
    Caballeros de alta guisa,
405   Dios os dé bienes y honores.
        ¿Qué mandáis?

MENDO

            ¿Quién es aquí
    García del Castañar?

---

[79] **pardiez:** por Dios.
[80] **llocido:** lucido ("elegant").

GARCÍA

Yo soy, a vuestro mandar.[81]

MENDO

Galán sois.

GARCÍA

Dios me hizo ansí.[82]

BRAS

410   Mayoral de sus porqueros[83]
        só,[84] y porque mucho valgo,
        miren si los mando en algo
        en mi oficio, caballeros,
            que lo haré de mala gana,
415   como verán por la obra.

GARCÍA

¡Quita, bestia!

BRAS

            El bestia sobra.

REY

¡Qué simplicidad tan sana!
Guárdeos Dios.

GARCÍA

            Vuestra persona,
aunque vuestro nombre ignoro,
420   me aficiona.

---

[81] **a vuestro mandar:** a vuestras órdenes.
[82] **ansí:** así.
[83] **porquero:** el que cuida de puercos.
[84] **só:** soy.

BRAS

Es como un oro;[85]
a mí también me inficiona.[86]

MENDO

Llegamos al Castañar
volando un cuervo, supimos
de vuestra casa, y venimos
425   a verla y a descansar
un rato, mientras que pasa
el sol de aqueste horizonte.

GARCÍA

Para labrador de un monte
grande juzgaréis mi casa;
430   y aunque un albergue pequeño
para tal gente será,
sus defectos suplirá
la voluntad de su dueño.

MENDO

¿Nos conocéis?

GARCÍA

No, en verdad,
435   que nunca de aquí salimos.

MENDO

En la cámara servimos
los cuatro a Su Majestad,

---

85 **como un oro:** de lo más hermoso y limpio.

86 **me inficiona:** me da infección. Nótese el juego de palabras entre *aficionar* (inspirar afecto) y *inficionar* (infeccionar).

para serviros, García.
¿Quién es esta labradora?

GARCÍA

440   Mi mujer.

MENDO

Gocéis, señora,
tan honrada compañía
    mil años, y el cielo os dé
más hijos que vuestras manos
arrojen al campo granos.

BLANCA

445   No serán pocos, a fe.

MENDO

¿Cómo es vuestro nombre?

BLANCA

                              Blanca.

MENDO

Con vuestra beldad conviene.

BLANCA

No puede serlo quien tiene
la cara a los aires franca.

REY

450   Yo también, Blanca, deseo
que veáis siglos prolijos
los dos, y de vuestros hijos

veáis más nietos que veo
árboles en vuestra tierra,
455 siendo a vuestra sucesión
breve para habitación
cuanto descubre[87] esa sierra.

BRAS

No digan más desatinos.
¡Qué poco en hablar reparan!
460 Si todo el campo pobraran,[88]
¿dónde han de estar mis cochinos?

GARCÍA

Rústico entretenimiento
será para vos mi gente;
pues la ocasión lo consiente,
465 recibid sin cumplimiento
algún regalo[89] en mi casa.
Tú disponte, Blanca mía.

MENDO

(Ap.) (Llámala fuego, García
pues el corazón me pasa.)

REY

470 Tan hidalga voluntad
es admitirla nobleza.

GARCÍA

Con esta misma llaneza
sirviera a Su Majestad,

---

87 **descubrir:** alcanzar a ver.
88 **pobrar:** poblar.
89 **regalo:** comida o bebida.

que aunque no le he visto, intento
475   servirle con afición.

Rey

¿Para no verle hay razón?

García

¡Oh, señor, ése es gran cuento!
Dejadle[90] para otro día,
Tú, Blanca, Bras y Teresa,
480   id a prevenir la mesa
con alguna niñería. *(Vanse.)*

Rey

Pues yo sé que el rey Alfonso
tiene noticias de vos.

Mendo

Testigos somos los dos.

García

485   ¿El Rey de un villano intonso?[91]

Rey

Y tanto el servicio admira
que hicisteis a su Corona,
ofreciendo ir en persona
a la guerra de Algecira,
490   que si la Corte seguís,
os ha de dar a su lado

---

90 **dejadle:** dejadlo. Nótese que se empleaba frecuentemente *le* en vez de *lo* para el objeto directo refiriéndose a cosas.
91 **intonso:** ignorante.

el lugar más envidiado
de Palacio.

GARCÍA

¿Qué decís?
Más precio entre aquellos cerros
495   salir a la primer luz,[92]
prevenido el arcabuz,[93]
y que levanten mis perros
una banda de perdices,
y codicioso en la empresa,
500   seguirlas por la dehesa[94]
con esperanzas felices
de verlas caer al suelo,
y cuando son a los ojos
pardas nubes con pies rojos,
505   batir sus alas al vuelo
y derribar esparcidas
tres o cuatro, y anhelando
mirar mis perros buscando
las que cayeron heridas,
510   con mi voz que los provoca,
y traer las que palpitan
a mis manos, que las quitan
con su gusto de su boca;
levantarlas, ver por dónde
515   entró entre la pluma el plomo,
volverme a mi casa, como
suele de la guerra el Conde
a Toledo, vencedor;
pelarlas dentro en mi casa,
520   perdigarlas[95] en la brasa

---

92 **primer luz:** primera luz.
93 **arcabuz:** "harquebus", arma de fuego antigua.
94 **dehesa:** campo donde pastan animales.
95 **perdigar:** "to broil slightly".

y puestas al asador
    con seis dedos de un pernil,[96]
que a cuatro vueltas o tres,
pastilla de lumbre es
525   y canela del Brasil;[97]
    y entregársele a Teresa,
que con vinagre y aceite
y pimienta, sin afeite,[98]
las pone en mi limpia mesa,
530   donde, en servicio de Dios,
una yo y otra mi esposa
nos comemos, que no hay cosa
como a dos perdices, dos;
    y levantando una presa,[99]
535   dársela a Teresa, más
porque tenga envidia Bras
que por dársela a Teresa,
    y arrojar a mis sabuesos[100]
el esqueleto roído,[101]
540   y oír por tono el crujido
de los dientes y los huesos,
    y en el cristal transparente
brindar, y, con mano franca,
hacer la razón[102] mi Blanca
545   con el cristal de una fuente;
    levantar la mesa,[103] dando
gracias a quien nos envía

---

[96] **pernil:** jamón.

[97] **pastilla . . . del Brasil:** "it turns out to be a splendid, exquisite delicacy". Además de "cinnamon", *canela* tiene el sentido de "exquisite". Nótese el anacronismo: el Brasil no fue descubierto hasta dos siglos después de los sucesos dramatizados en la obra.

[98] **sin afeite:** sin más aderezo.

[99] **presa:** porción.

[100] **sabueso:** perro de caza.

[101] **roído:** "gnawed".

[102] **hacer la razón:** "to return a toast".

[103] **levantar la mesa:** "to clear the table".

el sustento cada día,
varias cosas platicando;
550   que aqueso es el Castañar,
que en más estimo, señor,
que cuanta hacienda y honor
los Reyes me puedan dar.

REY

Pues, ¿cómo al Rey ofrecéis
555   ir en persona a la guerra,
si amáis tanto vuestra tierra?

GARCÍA

Perdonad, no lo entendéis.
El Rey es de un hombre honrado,
en necesidad sabida,
560   de la hacienda y de la vida
acreedor privilegiado;
agora, con pecho ardiente,
se parte al Andalucía
para extirpar la herejía
565   sin dineros y sin gente;
así le envié a ofrecer
mi vida, sin ambición,
por cumplir mi obligación
y porque me ha menester;
570   que, como hacienda debida,
al Rey le ofrecí de nuevo
esta vida que le debo,
sin esperar que la pida.

REY

Pues, concluída la guerra,
575   ¿no os quedaréis en Palacio?

García

Vívese aquí más de espacio;[104]
es más segura esta tierra.

Rey

Posible es que os ofrezca
el Rey lugar soberano.

García

580   ¿Y es bien que le dé a un villano
el lugar que otro merezca?

Rey

Elegir el Rey amigo
es distributiva ley.[105]
Bien puede.

García

Aunque pueda, el Rey
585   no lo acabará conmigo,
que es peligrosa amistad
y sé que no me conviene,
que a quien ama es el que tiene
más poca seguridad;
590   que por acá siempre he oído
que vive más arriesgado
el hombre del Rey amado
que quien es aborrecido,
porque el uno se confía
595   y el otro se guarda dél.
Tuve yo un padre muy fiel,
que muchas veces decía,

---

104 **de espacio:** tranquilamente.
105 **distributiva ley:** ley que da a cada cual lo que merece.

dándome buenos consejos,
que tenía certidumbre
600 que era el Rey como la lumbre:
que calentaba de lejos
y desde cerca quemaba.

REY

También dicen más de dos
que suele hacer, como Dios,
605 del lodo que se pisaba,
un hombre ilustrado,[106] a quien
le venere el más bizarro.[107]

GARCÍA

Muchos le han hecho de barro
y le han deshecho también.

REY

610 Sería el hombre imperfecto.

GARCÍA

Sea imperfecto o no sea,
el Rey, a quien no desea,
¿qué puede darle, en efeto?

REY

Daraos[108] premios.

GARCÍA

Y castigos.

---

106 **ilustrado:** ilustre.

107 **a quien le venere . . . bizarro:** "whom the most gallant can respect". El pronombre *le* es redundante.

108 **daraos:** os daría. Nótese el frecuente uso del pretérito imperfecto de subjuntivo por el modo condicional.

Rey

Daraos gobierno.

García

615   Y cuidados.

Rey

Daraos bienes.

García

Envidiados.

Rey

Daraos favor.

García

Y enemigos.
Y no os tenéis que cansar,
que yo sé no me conviene
620   ni daré por cuanto tiene
un dedo del Castañar.
        Esto sin que un punto ofenda
a sus reales resplandores;
mas lo que importa, señores,
625   es prevenir la merienda. *(Vase.)*

Rey

Poco el Conde lo encarece:
más es de lo que pensaba.

Mendo

La casa es bella.

Rey

Extremada.[109]

---

109 Este verso no sigue la consonancia en *-aba*.

¿Cuál lo mejor os parece?

MENDO

630   Si ha de decir la fe mía
la verdad a Vuestra Alteza,
me parece la belleza
de la mujer de García.

REY

Es hermosa.

MENDO

¡Es celestial;
635   es ángel de nieve pura!

REY

¿Ese es amor?

MENDO

La hermosura
¿a quién le parece mal?

REY

Cubríos,[110] Mendo. ¿Qué hacéis?
Que quiero en la soledad
640   deponer la majestad.

MENDO

Mucho, Alfonso, recogéis
vuestros rayos,[111] satisfecho

---

110 **cubríos:** Sólo los grandes quedaban con el sombrero puesto delante del rey, pero en este caso el rey no quiere que García se dé cuenta de que don Mendo no es el monarca. Véase la nota 113.

111 **recogéis vuestros rayos:** encubrís vuestro esplendor.

que sois por fe venerado,
tanto, que os habéis quitado
645   la roja banda del pecho
      para encubriros y dar
aliento nuevo a mis bríos.

REY

No nos conozcan, cubríos,
que importa disimular.

MENDO

650   Rico hombre[112] soy, y de hoy más.
      Grande es bien que por vos quede.[113]

REY

Pues ya lo dije, no puede
volver mi palabra atrás.

(*Sale* DOÑA BLANCA.)

BLANCA

Entrad, si queréis, señores,
655   merendar, que ya os espera
      como una primavera,
la mesa llena de flores.

MENDO

¿Y qué tenéis que nos dar?[114]

---

[112] **rico hombre:** ricohombre, individuo que pertenecía a la primera nobleza.

[113] **Grande . . . quede:** Léase, "Es bien que por vos (yo) quede grande." Ya que el rey le ha dicho a don Mendo que se cubra, éste asume que ya es uno de los grandes (personas de alta nobleza).

[114] **nos dar:** darnos.

BLANCA

¿Para qué saberlo quieren?
660   Comerán lo que les dieren,[115]
pues que no lo han de pagar,
    o quedaránse en ayunas;[116]
mas nunca faltan, señores,
en casa de labradores,
665   queso, arrope[117] y aceitunas,
    y blanco pan les prometo,
que amasamos yo y Teresa,
que pan blanco y limpia mesa[118]
    abren a un muerto las ganas;
670   uvas de un majuelo[119] mío,
y en blanca miel de rocío
berenjenas toledanas;[120]
    perdices en escabeche,[121]
y de un jabalí,[122] aunque fea,
675   una cabeza en jalea,[123]
    por que toda se aproveche;
    cocido en vino, un jamón,
y un chorizo[124] que provoque
a que con el vino aloque,[125]
680   hagan todos la razón;
    dos ánades[126] y cecinas
cuantas los montes ofrecen,

---

[115] **dieren:** futuro de subjuntivo de *dar*. Véase la nota 6.
[116] **en ayunas:** sin comer.
[117] **arrope:** "grape syrup".
[118] Después de este verso falta otro para completar la redondilla.
[119] **majuelo:** "young grapevine".
[120] **berenjenas toledanas:** "eggplants from Toledo".
[121] **perdices en escabeche:** "pickled partridges".
[122] **jabalí:** "wild boar".
[123] **jalea:** "jelly".
[124] **chorizo:** "smoked pork sausage".
[125] **vino aloque:** "light red wine".
[126] **ánade:** pato.

cuyas hebras[127] me parecen
deshojadas clavellinas,[128]
685   que cuando vienen a estar
cada una de por sí,
como seda carmesí,
se pueden al torno hilar.[129]

REY

Vamos, Blanca.

BLANCA

Hidalgos, ea,
690   merienden, y buena pro.[130]

(*Vanse el* REY *y los dos* CAZADORES.)

MENDO

Labradora, ¿quién te vio
que amante no te desea?

BLANCA

Venid y callad, señor.

MENDO

Cuanto previenes trocara
695   a un plato que sazonara
en tu voluntad amor.[131]

---

127 **hebra:** "(meat) fiber".
128 **clavellina:** clavel ("carnation").
129 **que cuando . . . hilar:** Entiéndase, "so tender is the meat that each of its fibers is like
a fine thread of crimson silk that can be spun on a spinning wheel."
130 **buena pro:** buen provecho.
131 **Cuanto . . . amor:** "All (the food) that you are providing I would trade for a dish
that love had seasoned with your affection (*voluntad*)."

BLANCA

Pues decidme, cortesano,
el que trae la banda roja:
¿qué en mi casa se os antoja
para guisarle?[132]

MENDO

700   Tu mano.

BLANCA

Una mano de almodrote
de vaca[133] os sabrá más bien;
guarde Dios mi mano, amén,
no se os antoje en jigote,[134]
705   que harán, si la tienen gana,
y no hay quien los replique,
que se pique y se repique
la mano de una villana,
     para que un señor la coma.

MENDO

710   La voluntad la sazone
para mis labios.

BLANCA

          Perdone;
bien está San Pedro en Roma.[135]
     Y si no lo habéis sabido.
sabed, señor, en mi trato,

---

[132] **¿qué . . . guisarle?:** "what would you like from my house to prepare it?"
[133] **mano de almodrote de vaca:** "Calf's foot with sauce".
[134] **jigote:** guisado.
[135] **bien está San Pedro en Roma:** refrán que expresa la idea de "to let well enough alone".

715   que sólo sirve ese plato
       al gusto de mi marido,
            y me lo paga muy bien,
       sin lisonjas ni rodeos.

MENDO

       Yo, con mi estado y deseos,
720   te lo pagaré también.

BLANCA

       En mejor mercadería[136]
       gastad los intentos vanos,
       que no comprarán gitanos
       a la mujer de García,[137]
725   que es muy ruda y montaraz.[138]

MENDO

       Y bella como una flor.

BLANCA

       ¿Que de dónde soy, señor?[139]
       Para serviros, de Orgaz.

MENDO

       Que eres del Cielo sospecho,
730   y en el rigor, de la sierra.

BLANCA

       ¿Son bobas las de mi tierra?
       Merendad, y buen provecho.

---

136 **mercadería:** mercancía.

137 Alusión a la reputación que tenían los gitanos de comprar cosas de poco valor, con el fin de venderlas después a precios más altos.

138 **montaraz:** inculta.

139 **¿Que . . . señor?:** Entiéndase, "¿Sabéis de dónde soy, señor?"

MENDO

No me entiendes, Blanca mía.

BLANCA

Bien entiendo vuestra trova,[140]
735   que no es del todo boba
la de Orgaz, por vida mía.

MENDO

Pues por tus ojos amados
que has de oírme, la de Orgaz.

BLANCA

Tengamos la fiesta en paz;
740   entrad ya, que están sentados,
y tened más cortesía.

MENDO

Tú, menos riguridad.[141]

BLANCA

Si no queréis, aguardad.
¡Ah, marido! ¡Hola, García!

(*Sale* DON GARCÍA.)

GARCÍA

745   ¿Qué queréis, ojos divinos?

BLANCA

Haced al señor entrar,

---

[140] **trova:** verso. Entiéndase, "Bien entiendo la intención de vuestras palabras."
[141] **riguridad:** rigurosidad, rigor.

que no quiere hasta acabar
un cuento de Calaínos.[142]

GARCÍA

(Ap.) (¡Si el cuento fuera de amor
750   del Rey, que Blanca me dice,
para ser siempre infelice!
Mas si viene a darme honor
    Alfonso, no puede ser;
cuando no de mi linaje,
755   se me ha pegado del traje
la malicia y proceder.
    Sin duda no quiere entrar
por no estar con sus criados
en una mesa sentados;
760   quiéroselo suplicar
    de manera que no entienda
que le conozco.) Señor,
entrad y haréisme favor,
y alcanzar de la merienda
765   un bocado, que os le dan
con voluntad y sin paga,
y mejor provecho os haga
que no el bocado de Adán.[143]

(Sale BRAS *y saca algo de comer y un jarro cubierto.)*

BRAS

Un caballero me envía
770   a decir cómo os espera.

MENDO

¿Cómo, Blanca, eres tan fiera? *(Vase.)*

---

[142] **cuento de Calaínos:** relato de poca importancia. Calaínos fue un moro que figura en varios romances españoles.
[143] **bocado de Adán:** la manzana que Eva dio a Adán.

BLANCA

Así me quiere García.

GARCÍA

¿Es el cuento?

BLANCA

Proceder
en él quiere pertinaz,[144]
775 mas déjala a la de Orgaz,
que ella sabrá responder. *(Vase.)*

BRAS

Todos están en la mesa;
quiero, a solas y sentado,
mamarme[145] lo que he arrugado,[146]
780 sin que me viese Teresa.
    ¡Qué bien que se satisface
un hombre sin compañía!
Bebed, Bras, por vida mía.
(Dentro.) Bebed vos.
(Dentro.)   ¿Yo? Que me place.

REY

785 Caballeros, ya declina
el sol al mar Oceano.[147]

(Salen todos.)

GARCÍA

Comed más, que aún es temprano;
ensanchad bien la petrina.[148]

---

[144] **proceder . . . pertinaz:** "He, obstinately, wants to proceed with it (the story)."
[145] **mamar:** beber.
[146] **arrugar:** robar, en el lenguaje germanesco ("thieves' slang").
[147] **mar Oceano:** "Atlantic Ocean". Nótese que el acento tónico cae en la *a*.
[148] **petrina:** pretina ("belt").

Rey

Quieren estos caballeros
790   un ave, en la tierra rasa,
volarla.

García

Pues a mi casa
os volved.

Rey

Obedeceros
no es posible.

García

Cama blanda
ofrezco a todos, señores,
795   y con almohadas de flores,
sábanas nuevas de Holanda.

Rey

Vuestro gusto fuera ley,
García, que no podemos,[149]
que desde mañana hacemos
800   los cuatro semana al Rey,[150]
y es fuerza estar en Palacio.
Blanca, adiós; adiós, García.

García

El Cielo os guarde.

---

[149] **vuestro gusto . . . no podemos:** "(If we could stay) your desire would be our law, but we cannot."

[150] **hacemos . . . semana al Rey:** "the four of us are on duty for the king this week."

Rey

Otro día
hablaremos más despacio. *(Vase.)*

Mendo

805   Labradora, hermosa mía,
ten de mi dolor memoria.

Blanca

Caballero, aquesa historia
se ha de tratar con García.

García

¿Qué decís?

Mendo

Que dé a los dos
810   el Cielo vida y contento.

Blanca

Adiós, señor, el del cuento.

Mendo

(¡Muerto voy!) Adiós. *(Vase.)*

García

Adiós.
Y tú, bella como el Cielo,
ven al jardín, que convida
815   con dulce paz a mi vida,
sin consumirla el anhelo
del pretendiente que aguarda

el mal seguro favor,
la sequedad del señor,
820   ni la provisión que tarda,
        ni la esperanza que yerra,
ni la ambición arrogante
del que, armado de diamante,[151]
busca al contrario en la guerra,
825   ni por los mares el Norte;
que envidia pudiera dar
a cuantos del Castañar
van esta tarde a la Corte.
        Mas por tus divinos ojos,
830   adorada Blanca mía,
que es hoy el primero día[152]
que he tropezado en enojos.

BLANCA

¿De qué son tus descontentos?

GARCÍA

Del cuento del cortesano.

BLANCA

835   Vamos al jardín, hermano,
que ésos son cuentos de cuentos.[153]

---

151 **diamante:** (*fig.*) "hardest steel".
152 **primero día:** primer día.
153 **cuento de cuentos:** relación complicada y llena de digresiones.

CUESTIONARIO

Sobre páginas 13–24

1. ¿En qué siglo tiene lugar la acción del drama?

2. ¿Quién es el rey en la obra?

3. ¿Qué honor ha pedido don Mendo?

4. ¿Cuáles son los requisitos necesarios para que un individuo reciba dicho honor?

5. ¿En qué sentido se emplea aquí la palabra "información"?

6. ¿Qué opinión se puede formar de don Mendo en su diálogo con el rey?

7. ¿Qué rey moro se opone a los planes de don Alfonso de conquistar Algeciras?

8. ¿Qué clase de cosas le ofrece al rey García del Castañar?

9. Según la descripción del Conde, ¿qué vida lleva García en el Castañar?

10. ¿Por qué quiere ir el rey al Castañar?

11. ¿Por qué habla el rey de un "tesoro sepultado" en el verso 198?

12. ¿Se puede decir que don Mendo es un "tesoro sepultado"? Explíquese.

13. ¿Cuáles son las diferencias más notables entre García y don Mendo que se pueden percibir hasta el verso 220?

Sobre páginas 24–56

14. ¿Cuál es la función del soliloquio de García que comienza con "Fábrica hermosa mía" (verso 221)?

15. ¿Qué comparaciones emplean los músicos para hacer resaltar la hermosura de Blanca?

16. ¿Cuál es el propósito artístico de los dos sonetos (versos 291–318) que pronuncian los esposos?

17. ¿Cómo imitan Bras y Teresa a sus amos?

18. ¿Qué diferencias de estilo se notan entre el diálogo de los criados y el de los amos?

19. ¿Cómo se llama el dialecto que habla Bras, y cuáles serán las razones de emplearlo?

20. En la carta que escribe el Conde a García, ¿qué importancia tendrá la noticia de que el rey "es el de la banda roja"?

21. ¿Cómo explica don Mendo su llegada al Castañar?

22. En su discurso que empieza con el verso 493, ¿qué imágenes emplea García para manifestar su preferencia por la vida del campo a la de la Corte?

23. ¿Cómo responde Blanca a las galanterías de don Mendo?

24. Al final de la primera jornada, ¿está bien planteado el conflicto que se desarrollará en las jornadas siguientes? Dése un resumen de este conflicto.

JORNADA SEGUNDA

(*Salen la* REINA *y el* CONDE.)

REINA

Vuestra extraña relación[1]
me ha enternecido, y prometo
que he de alcanzar, con efeto,
840   para los dos el perdón;
      porque de Blanca y García
me ha encarecido Su Alteza,
en el uno, la belleza,
y en otro, la gallardía.
845   Y pues que los dos se unieron,
con sucesos tan prolijos,[2]
como los padres, los hijos
con una estrella nacieron.

CONDE

    Del Conde[3] nadie concuerda
850   bien en la conspiración;
salió al fin de la prisión,
y don Sancho de la Cerda[4]

---

[1] El Conde de Orgaz acaba de relatar a la reina la historia de García y Blanca.
[2] **prolijo:** aquí, perturbador.
[3] **Conde:** se refiere al padre de García, el Conde Garci Bermudo.
[4] **don Sancho de la Cerda:** el rival del rey Alfonso. Véase la nota 75 del acto primero.

　　　　huyó con Blanca, que era
　　　　de dos años, a ocasión
855　　que era yo contra Aragón
　　　　general de la frontera,
　　　　　donde el Cerda, con su hija,
　　　　se pretendió asegurar,
　　　　y en un pequeño lugar,
860　　con la jornada prolija,
　　　　　adolesció de tal suerte,
　　　　que aunque le acudí en secreto,
　　　　en dos días, en efeto,
　　　　cobró el tributo la muerte.
865　　　Hícele dar sepultura
　　　　con silencio, y apiadado,[5]
　　　　mandé que a Orgaz un soldado
　　　　la inocente criatura
　　　　　llevase, y un labrador
870　　la crió, hasta que un día
　　　　la casaron con García
　　　　mis consejos y su amor;[6]
　　　　　que quiso, sin duda alguna,
　　　　el Cielo que ambos se viesen,
875　　y de los padres tuviesen
　　　　junta la sangre y fortuna.

REINA

　　　　Yo os prometo de alcanzar
　　　　el perdón.

(*Sale* BRAS.)

BRAS

　　　　Buscandolé,[7]

---

[5] **apiadado:** piadoso.

[6] **la casaron . . . amor:** "my advice and their love brought about her marriage to García."

[7] **buscandolé:** Nótese la acentuación en la última sílaba para rimar con *colé*. Además, la dislocación del acento es frecuente en el habla popular.

¡pardiobre!,[8] que me colé,
880   como fraile,[9] sin llamar.
        Topéle. Su sonsería[10]
     me dé las manos y pies.[11]

CONDE

Bien venido, Bras.

REINA

¿Quién es?

CONDE

Un criado de García.

REINA

Llegad.

BRAS

885   ¡Qué brava hermosura!
        Esta sí que el ojo abonda;[12]
        pero si vos sois la Conda,[13]
        tendréis muy mala ventura.[14]

CONDE

¿Y qué hay por allá, mancebo?

---

8 **¡pardiobre!:** ¡por Dios!

9 **me colé . . . fraile:** "I slipped in like a friar." Se alude a la reputación que tenían los frailes de entrar en casas a comer sin que se les convidara.

10 **su sonsería:** su señoría. También hay un juego de palabras con *zoncería* ("nonsense").

11 **me dé . . . pies:** me dé (a besar) las manos y pies; expresión de cortesía para saludar a una persona de alta categoría social.

12 **abondar:** abundar (satisfacer).

13 **Conda:** condesa.

14 **tendréis . . . mala ventura:** se alude al romance de *El Conde Alarcos,* en que la condesa fue muerta por su marido. También era un dicho corriente en la época que las hermosas tenían mala ventura, y las feas buena fortuna. Compárese el refrán, "La ventura de las feas, la dicha."

BRAS

890 Como al Castañar no van
estafetas[15] de Milán,
no he sabido qué hay de nuevo.
    Y por acá, ¿qué hay de guerra?

CONDE

Juntando dineros voy.

BRAS

895 De buena gana los doy
por gozar en paz mi tierra;
    porque el corazón me ensancha,
cuando duermo más seguro
que en Flandes, detrás de un muro,
900 en un carro de la Mancha.

REINA

Escribe[16] bien, breve y grave.

CONDE

Es sabio.

REINA

    A mi parecer,
más es que serlo tener
quien en Palacio le alabe.[17]

(*Sale* DON MENDO.)

MENDO

905   Su Alteza espera.

---

15 **estafeta:** correo.

16 **escribe:** García es el sujeto.

17 La reina quiere decir que hay tanta envidia en la Corte que es más notable que alguien alabe a García por sabio que él lo sea.

REINA

Muy bien
la banda está en vuestro pecho. *(Vase.)*

MENDO

Por vos, Su Alteza me ha hecho
aquesta honra.

CONDE

También
tuve parte en esta acción.

MENDO

910 Vos me disteis esta banda,
que mía fue la demanda
y vuestra la información.
Ayer con Su Alteza fui,
y dióme esta insignia, Conde,
915 yendo al Castañar. *(Ap.)* (Adonde
libre fui y otro volví.)

(Sale TELLO.*)*

TELLO

El Rey llama.

CONDE

Espera, Bras.

BRAS

El billorete[18] leed.

CONDE

Este hombre entretened
mientras vuelvo.

---

18 **billorete:** billete.

BRAS

920   Estoy de más;[19]
desempechadme[20] temprano,
que el Palacio y los olores
se hicieron para señores,
no para un tosco villano.

CONDE

Ya vuelvo.

(Vanse el CONDE *y* TELLO.)

MENDO

925   *(Ap.)* (Conocer quiero
este hombre.)

BRAS

¿No hay habrar?[21]
¿Cómo fue en el Castañar
ayer tarde, caballero?

MENDO

(Ap.) (Daré a tus aras mil veces
930   holocausto, dios de amor,
pues en este labrador
remedio a mi mal ofreces.
     ¡Ay, Blanca! ¡Con qué de enojos
me tienes! ¡Con qué pesar!
935   ¡Nunca fuera al Castañar![22]
¡Nunca te vieran mis ojos!

---

[19] **estar de más:** "to be in the way".

[20] **desempechar:** despachar.

[21] **¿No hay habrar?:** ¿No hemos de hablar?

[22] **¡Nunca fuera al Castañar!:** ¡(Ojalá que) nunca hubiera ido al Castañar! Es frecuente en la época el empleo del pretérito imperfecto de subjuntivo por el pretérito pluscuamperfecto.

¡Pluguiera[23] a Dios que, primero
que fuera Alfonso a tu tierra,
muerte me diera en la guerra
940   el corvo[24] africano acero!
    ¡Pluguiera a Dios, labrador,
que al áspid[25] fiero y hermoso
que sirves, y cauteloso
fue causa de mi dolor,
945   sirviera yo, y mis estados
te diera, la renta mía;
que por ver a Blanca un día,
fuera a guardar sus ganados!)

BRAS

    ¿Qué diabros[26] tiene, señor,
950   que salta, brinca y recula?[27]
Sin duda la tarantula[28]
le ha picado, o tiene amor.

MENDO

(Ap.) (Amor, pues Norte[29] me das,
déste tengo de saber
955   si a Blanca la podré ver.)
¿Cómo te llamas?

BRAS

    ¿Yo? Bras.

MENDO

    ¿De dónde eres?

---

[23] **plugiera:** una forma del pretérito imperfecto de subjuntivo de *placer*.
[24] **corvo:** encorvado. Se refiere a la cimitarra de los moros.
[25] **áspid:** "asp".
[26] **diabro:** diablo.
[27] **recular:** volver hacia atrás.
[28] **tarantula:** tarántula. Se emplea aquella forma para guardar la rima.
[29] **Norte:** dirección, orientación.

BRAS

De la villa
de Ajofrín,[30] si sirvo en algo.[31]

MENDO

¿Y eres muy gentil hidalgo?

BRAS

960   De los Brases de Castilla.

MENDO

Ya lo sé.

BRAS

Decís verdad,
que só antiguo, aunque no rico,
pues vengo de un villancico[32]
del día de Navidad.

MENDO

Buen talle tienes.

BRAS

965   Bizarro;
mire que pie tan perfeto.
¿Monda nísperos el peto?[33]
Y estos ojuelos, ¿son barro?[34]

---

[30] **Ajofrín:** población de la provincia de Toledo.

[31] **si sirvo en algo:** "at your service".

[32] **villancico:** canción popular y tradicional que se canta en las fiestas. Bras quiere decir que se encuentra su nombre (o Blas) en un villancico de Navidad.

[33] **¿Monda nísperos el peto?:** "Don't I have a manly chest?" *Mondar nísperos* significa actuar inútilmente.

[34] **Y estos ojuelos, ¿son barro?:** "Aren't these bright eyes worthy of admiration?"

MENDO

¿Y eres muy discreto, Bras?

BRAS

970 En eso soy extremado,
porque cualquiera cuitado
presumo que sabe más.

MENDO

¿Quieres servirme en la Corte,
y verás cuánto te precio?

BRAS

975 Caballero, aunque só necio,
razonamientos acorte,
    y si algo quiere mandarme,
acabe ya de parillo.[35]

MENDO

Toma, Bras, este bolsillo.

BRAS

980 Mas, ¡par Dios! ¿Quiere burlarme?
A ver, acerque la mano.

MENDO

Escudos son.

BRAS

Yo lo creo;
mas por no engañarme, veo
si está por de dentro vano;

_____

35 **parillo:** parirlo ("to come out with it").

985   dinero es, y de ello infiero
             que algo pretende que haga,
             porque el hablar bien se paga.

                          MENDO

             Sólo que me digas quiero
                 si ver podré a tu señora.

                          BRAS

990   ¿Para malo o para bueno?

                          MENDO

             Para decirla que peno
             y que el corazón la adora.

                          BRAS

                 ¡Lástima os tengo, así viva,
             por lo que tengo en el pecho,
995   y aunque rudo, amor me ha hecho
             el mío como una criba!³⁶
                 Yo os quiero dar una traza³⁷
             que de provecho será:
             aquestas noches se va
1000   mi amo García a caza
                 de jabalíes; vestida
             le aguarda sin prevención,
             y si entráis por un balcón,
             la hallaréis medio dormida,
1005   porque hasta el alba le espera;
             y esto muchas veces pasa
             a quien deja hermosa en casa
             y busca en otra una fiera.

---

³⁶ **criba:** "sieve".
³⁷ **traza:** plan.

MENDO

¿Me engañas?

BRAS

      Cosa es tan cierta,
1010   que de noche, en ocasiones,
suelo entrar por los balcones
por no llamar a la puerta
    ni que Teresa me abra,
y por la honda que deja
1015   puesta Belardo en la reja,
trepando voy como cabra,
    y la hallo sin embarazo,
sola, esperando a García,
porque le aguarda hasta el día
1020   recostada[38] sobre el brazo.

MENDO

En ti el amor me promete
remedio.

BRAS

Pues esto haga.

MENDO

Yo te ofrezco mayor paga.

BRAS

(Ap.) (Esto no es ser alcagüete.)[39]

MENDO

1025   *(Ap.)* (Blanca, esta noche he de entrar
a verte, a fe de español,

---

[38] **recostado:** inclinado.
[39] **alcagüete:** alcahuete ("go-between").

> que, para llegar al sol,
> las nubes se han de escalar.)

(Vase, y salen el REY *y el* CONDE.)

REY

El hombre es tal, que prometo
1030   que con vuestra aprobación
he de llevarle a esta acción
y ennoblecerle.

CONDE

Es discreto
y valiente; en él están,
sin duda, resplandecientes
1035   las virtudes convenientes
para hacerle capitán,
que yo sé que suplirá[40]
la falta de la experiencia
su valor y su prudencia.

REY

1040   Mi gente lo acetará,
pues vuestro valor le abona,
y sabe de vuestra ley[41]
que, sin méritos, al Rey
no le proponéis persona;
1045   traedle mañana, Conde. *(Vase.)*

CONDE

Yo sé que aunque os acuitéis,[42]

---

40 **suplirá:** Nótese que el sujeto es *su valor y su prudencia.* A veces se usa un verbo singular con dos o más sujetos cuando éstos están íntimamente relacionados.

41 **ley:** lealtad.

42 **acuitar:** afligir.

que en la ocasión publiquéis
la sangre que en vos se esconde.[43]

BRAS

Despachadme, pues, que no,
1050   señor, otra cosa espero.

CONDE

Que se recibió el dinero
que al donativo ofreció,
    le decís, Bras, a García,
y podeos ir con esto,
1055   que yo le veré muy presto
o responderé otro día. *(Vase.)*

BRAS

No llevo cosa que importe;
sobre tardanza prolija,
largo parto y parir hija,
1060   propio despacho de Corte.[44]

(Vase, y sale DON GARCIA, *de cazador, con un puñal y un arcabuz.)*

GARCÍA

Bosques míos, frondosos,
de día alegres cuanto tenebrosos
mientras baña Morfeo[45]
las noches con las aguas de Leteo,[46]
1065   hasta que sale de Faetón la esposa[47]
coronada de plumas y de rosa;
en vosotros dotrina

---

43 Lo que dice el Conde se refiere a García, que, claro está, no está presente.

44 Bras quiere decir que se despachan despacio los negocios en la Corte y luego no salen bien, como la mujer que, después de largo parto, da a luz una hija.

45 **Morfeo:** dios de los ensueños, hijo de la Noche y del Sueño.

46 **Leteo:** uno de los ríos del infierno cuyas aguas producían olvido en los que las bebían.

47 **esposa de Faetón:** Aurora, diosa de la mañana. Véase la nota 94 de este acto.

allá sobre quien Marte predomina,[48]
disponiendo sangriento
1070   a mayores contiendas el aliento;
porque furor influye
la caza, que a la guerra sostituye.[49]
Yo soy el uno, rayo
feroz de vuestras fieras, que me ensayo[50]
1075   para ser, con la sangre que me inspira,
rayo del Castañar en Algecira;
criado en vuestras grutas[51] y campañas,
Alcides[52] español de estas montañas,
que contra seis tiranos,[53]
1080   clava[54] es cualquiera dedo de mis manos,
siendo por mí esta vera[55]
pródiga en carnes, abundante en cera;
vengador de sus robos,
Parca[56] común de osos y de lobos,
1085   que por mí el cabritillo[57] y simple oveja
del montañés pirata no se queja,
y cuando embiste airado
a devorar el tímido ganado,
si me arrojo al combate,
1090   ocioso el can en la palestra[58] late.[59]
Que durmiendo entre flores,
en mi valor fiados los pastores,

---

48 **en vosotros . . . predomina:** Léase, "en vosotros se doctrina allá (él) sobre quien
Marte predomina." Es decir que el cazador aprende las lecciones de guerra en el bosque.
49 **sostituir:** sustituir. Se refería a menudo a la caza como práctica para la guerra.
50 **ensayarse:** "to practice".
51 **gruta:** cueva.
52 **Alcides:** Hércules.
53 **seis tiranos:** alusión a seis de los doce trabajos de Hércules.
54 **clava:** palo.
55 **vera:** vega.
56 **Parca:** la muerte. Las Parcas ("Fates") eran deidades que determinaban la vida de los
hombres.
57 **cabritillo:** cabra pequeña.
58 **palestra:** sitio de combate.
59 **latir:** ladrar.

cuando abre el sol sus ojos,
desperezados[60] ya los miembros flojos,
1095 cuando al ganado asisto,
cuando al corsario[61] embisto,
pisan, difunta la voraz caterva,[62]
más lobos sus abarcas[63] que no yerba.[64]
¿Qué colmenar copioso[65]
1100 no demuele[66] defensas contra el oso,
fabricando sin muros
dulce y blanco licor en nichos[67] puros?
Que por esto han tenido,
gracias al plomo a tiempo compelido,[68]
1105 en sus cotos[69] amenos,
un enemigo las abejas menos.
Que cuando el sol acaba,
y en el postrero parasismo[70] estaba,
a[71] dos colmenas que robado había,
1110 las caló dentro de una fuente fría,
ahogando en sus cristales
las abejas que obraron sus panales,
para engullir segura
la miel que mixturó[72] en el agua pura,
1115 y dejó, bien que[73] turbia, su corriente,
el agua dulce desta clara fuente.

---

[60] **desperezado:** "stretched".

[61] **cosario:** ladrón.

[62] **caterva:** multitud (de fieras).

[63] **abarca:** "sandal".

[64] **pisan . . . yerba:** es decir que tantos son los lobos que mata García que los pastores, que llevan abarcas, no tienen más remedio que pisar los lobos muertos en vez de la hierba.

[65] **colmenar copioso:** "overflowing beehive."

[66] **demoler:** deshacer.

[67] **nicho:** "niche".

[68] **a tiempo compelido:** "in the nick of time".

[69] **coto:** terreno encerrado.

[70] **parasismo:** "paroxysm, convulsion".

[71] Nótese que en el siglo XVII se empleaba frecuentemente la preposición *a* delante de un objeto directo impersonal.

[72] **mixturar:** mezclar una cosa con otra.

[73] **bien que:** aunque.

Y esta noche, bajando
un jabalí aqueste[74] arroyo blando
y cristalino cebo[75]

1120 con la luz que mendiga Cintia a Febo,[76]
le miré cara a cara,
haciéndose lugar entre la jara,[77]
despejando la senda sus cuchillos
de marfil o de acero sus colmillos;

1125 pero a una bala presta,
la luz condujo a penetrar la testa,
oyendo el valle, a un tiempo repetidos,
de la pólvora el eco y los bramidos.
Los dos[78] serán trofeos[79]

1130 pendientes de mis puertas, aunque feos,
después que Blanca, con su breve planta,
su cerviz[80] pise, y por ventura tanta,
dirán: ni aun en la muerte
tiene el cadáver de un dichoso suerte,

1135 que en la ocasión más dura,
a las fieras no falta la ventura.
Mas el rumor me avisa
que un jabalí desciende; con gran prisa
vuelve huyendo; habrá oído

1140 algún rumor distante su sentido,
porque en distancia larga
oye calar[81] al arcabuz la carga,
y esparcidas las puntas

---

74 **aqueste:** este.

75 **cebo:** "bait, lure".

76 **con . . . Febo:** con la luz que la luna recibe del sol. *Cintia* es otro nombre de Diana (la luna), y Febo ("Phoebus") es Apolo, dios del sol.

77 **jara** "thicket".

78 **los dos:** es decir, las pieles del oso y del jabalí.

79 **trofeo:** "trophy".

80 **cerviz:** parte posterior del cuello.

81 **calar:** meter.

que sobre el cerro acumulaba juntas,
1145   si oye la bala o menear la cuerda,
es ala cuando huye cada cerda.[82]

(*Sale* DON MENDO *y un* CRIADO *con una escala.*)

MENDO

¿Para esto, amor tirano,
del cerco toledano
al monte me trajiste,
1150   para perderme en su maleza triste?
Mas ¿qué esperar podía
ciego que a un ciego le eligió por guía?[83]
Una escala previne, con intento,
Blanca, de penetrar tu firmamento,
1155   y lo mismo emprendiera,
si fueras diosa en la tonante esfera,[84]
no montañesa ruda
sin honor, sin esposo que te acuda,
que en este loco abismo
1160   intentara lo mismo
si fueras, Blanca bella,
como naciste humana, pura estrella,
bien que a la tierra bien que al cielo sumo,
bajara en polvo y ascendiera en humo.

GARCÍA

1165   Llegó primero al animal valiente
que a mi sentido el ruido de esta gente.

---

[82] **y esparcidas . . . cerda:** "and (the wild boar) spreading apart the tips of the bristles on his neck, when he hears the shot or the stir of the fuse, becomes a wing as each bristle takes flight."

[83] **ciego . . . guía:** es decir que don Mendo, que está ciego de amor, eligió por guía a Cupido, que se llama a veces el dios ciego.

[84] **tonante esfera:** morada de Júpiter *tonante* (que hace trueno) y de los dioses.

MENDO

En esta luna de octubre
suelen salir cazadores
a esperar los jabalíes.
1170   Quiero llamar: ¡Ah, del monte!

CRIADO

¡Hola! ¡Hao!⁸⁵

GARCÍA

¡Pesia sus vidas!⁸⁶
¿Qué buscan? ¿De qué dan voces?

MENDO

El sitio del Castañar
¿está lejos?

GARCÍA

En dos trotes
1175   se pueden poner en él.

MENDO

Pasábamos a los montes
y el camino hemos perdido

GARCÍA

Aqueste arroyuelo corre
al camino.

MENDO

¿Qué hora es?

---

⁸⁵ **¡hao!**: interjección antigua para llamar a otro.
⁸⁶ **¡pesia sus vidas!**: "curses on them!"

GARCÍA

1180   Poco menos de las doce.

MENDO

¿De dónde sois?

GARCÍA

        ¡Del Infierno!
Id en buen hora, señores;
no me espantéis más la caza,
que me enojaré. ¡Pardiobre!

MENDO

1185   La luna, ¿hasta cuándo dura?

GARCÍA

Hasta que se acaba.

MENDO

        ¡Oye
lo que es villano en el campo!

GARCÍA

Lo que un señor en la Corte.

MENDO

Y en efeto, ¿hay dónde errar?

GARCÍA

1190   Y en efeto, ¿no se acogen?

MENDO

Terrible sois.

GARCÍA

Mal sabéis
lo que es estorbar a un hombre
en ocasión semejante.

MENDO

¿Quién sois?

GARCÍA

Rayo destos montes:
1195   García del Castañar,
que nunca niego mi nombre.

MENDO

(Ap.) (Amor, pues estás piadoso,
deténle, porque no estorbe
mis deseos y en su casa
1200   mis esperanzas malogre,
y para que a Blanca vea,
dame tus alas veloces,
para que más presto llegue.)
Quedaos con Dios. *(Vase.)*

GARCÍA

Buenas noches.
1205   Bizarra ocasión perdí;
imposible es que la cobre.
Quiero volverme a mi casa
por el atajo[87] del monte,
y pues ya me voy, oíd
1210   de grutas partos feroces:[88]

---

[87] **atajo:** "short cut".
[88] **partos feroces:** "wild beasts".

salid y bajad al valle,
vivid en paz esta noche,
que vuestro mayor opuesto
a su casa se va, adonde
1215   dormirá, no en duras peñas,[89]
sino en blandos algodones,
y depuesta la fiereza,
tan trocadas mis acciones,
en los brazos de mi esposa
1220   verá el Argos[90] de la noche
y el Polifemo[91] del día,
si las observan feroces
y tiernas, que en este pecho
se ocultan dos corazones:
1225   el uno de blanda cera,
el otro de duro bronce;
el blando para mi casa,
el duro para estos montes.

(*Vase, y sale* DOÑA BLANCA *y* TERESA *con una bujía,*[92] *y pónela encima de un bufete*[93] *que habrá.*)

BLANCA

Corre veloz, noche fría,
1230   porque venga con la aurora
del campo, donde está ahora,
a descansar mi García;
su luz anticipe el día,
el Cielo se desabroche,

---

[89] **duras peñas:** Estas palabras figuran en un romance cuyos primeros versos son: "Mis arreos (adornos) son las armas,/ mi descanso es pelear,/ mi cama las duras peñas,/ mi dormir siempre velar." El romance está incluído en la primera parte de *Don Quijote de la Mancha.*

[90] **Argos:** guarda mitológico que tenía cien ojos. Aquí se refiere a las estrellas.

[91] **Polifemo:** monstruo que tenía sólo un ojo en medio de la frente. Aquí representa el sol.

[92] **bujía:** vela de cera.

[93] **bufete:** mesa de escribir.

1235   salga Faetón en su coche,[94]
        verá su luz deseada
        la primer enamorada
        que ha aborrecido la noche.

TERESA

        Mejor, señora, acostada
1240   esperarás a tu ausente,
        porque asientan lindamente
        sobre la holanda[95] delgada
            los brazos, que, ¡por el Credo!,[96]
        que aunque fuera mi marido
1245   Bras, que tampoco ha venido
        de la ciudad de Toledo,
            que le esperara roncando.

BLANCA

Tengo mis obligaciones.

TERESA

Y le echara a mojicones[97]
1250   si no se entrara callando;
            mas si has de esperar que venga
        mi señor, no estés en pie;
        yo a Belardo llamaré
        que tu desvelo entretenga;
1255   mas él viene.

(*Sale* BELARDO.)

---

[94] **Faetón en su coche:** hijo de Apolo, Faetón ("Phaeton") condujo el coche del sol demasiado cerca de la tierra, casi abrasándola. Para evitar el desastre, Júpiter lo hirió con un rayo, precipitándolo en un río. Aquí se emplea Faetón con el sentido de sol.

[95] **holanda:** "Dutch linen".

[96] **¡por el Credo!:** ¡por mi fe!

[97] **le echara a mojicones:** "I'd throw him out with punches."

BELARDO

Pues al sol
veo de noche brillar,
el sitio del Castañar
es antípoda[98] español.

BLANCA

Belardo, sentaos.

BELARDO

Señora,
1260   acostaos.

BLANCA

En esta calma,[99]
dormir un cuerpo sin alma
fuera no esperar la aurora.

BELARDO

¿Esperáis?

BLANCA

Al alma mía.

BELARDO

Por muy necia la condeno,
1265   pues se va al monte al sereno
y os deja hasta que es de día.

(*Dentro,* BRAS.)

---

[98] **antípoda:** "antipode". Belardo alude a la blancura de Blanca que esclarece la noche.
[99] **calma:** tristeza.

BRAS

Sí, vengo de Toledo, Teresa mía;
vengo de Toledo, y no de Francia.

TERESA

Mas ya viene mi garzón.[100]

BELARDO

1270   A abrirle la puerta iré.

TERESA

Con tu licencia sabré
qué me trae, por el balcón.

BRAS

Que si buena es la albahaca,[101]
mejor es la Cruz de Calivaca.[102]

(*Ha de haber unas puertas como de balcón, que estén hacia dentro,*
y abre TERESA.)

TERESA

1275   ¿Cómo vienes, Bras?

BRAS

                                    Andando.

TERESA

¿Qué me traes de la ciudad
en muestras de voluntad?[103]

---

100 **garzón:** "boy (friend)".
101 **albahaca:** "sweet basil".
102 **cruz de Calivaca:** cruz de Caravaca. Era corriente la superstición de que los que
nacían el Jueves o el Viernes Santo llevaban marcada una cruz de Caravaca en el velo del
paladar ("velum"), la cual les daba poderes extraordinarios para curar enfermedades.
103 **voluntad:** amor.

BRAS

Yo te lo diré cantando:
Tráigote de Toledo, porque te alegres,
1280 *un galán, mi Teresa, como unas nueces.*[104]

TERESA

¡Llévele el diablo mil veces;
ved qué sartal o corpiño![105]

(Cierra juntando el balcón.)

BLANCA

¿Qué te trae?

TERESA

     Muy lindo aliño:
un galán como unas nueces.

BLANCA

1285 Será sabroso.

BRAS

     ¿Qué hay,
Blanca? Teresa, ¡estoy muerto!
¿Qué? ¿No me abrazas?

TERESA

       Por cierto,
por las cosas que me tray.[106]

BRAS

Dimuños[107] sois las mujeres.
1290 ¿A quién quieres más?

---

[104] **como unas nueces:** sabroso como nueces.
[105] **ved . . . corpiño:** "a fine string of beads or bodice that is!"
[106] **tray:** trae.
[107] **dimuño:** demonio.

TERESA

A Bras.

BRAS

Pues si lo que quieres más
te traigo, ¿qué es lo que quieres?

BLANCA

Teresa tiene razón.
Mas sentaos todos, y di:
1295   ¿qué viste en Toledo?

BRAS

                    Vi
de casas un burujón[108]
     y mucha gente holgazana,
y en calles buenas y ruines,
la basura a celemines[109]
1300   y el cielo por cerbatana,[110]
     y dicen que hay infinitos
desdenes en caras buenas,
en verano berenjenas
y en el otoño mosquitos.

BLANCA

1305   ¿No hay más nuevas en la Corte?

BRAS

Sátiras pide el deseo
malicioso, ya lo veo,

---

108 **burujón:** montón.
109 **a celemines:** "by the peck".
110 **cerbatana:** "blowgun". Blas means that looking up at the sky from the narrow streets
of Toledo was like looking at it through a blowgun.

mas mi pluma no es de corte.[111]
    Con otras cosas, señora,
1310   os divertid hasta el alba,
que al ausente Dios le salva.

BLANCA

Pues el que acertare ahora
    esta enigma de los tres,
daré un vestido de paño,
1315   y el de grana[112] que hice hogaño,[113]
a Teresa; digo, pues:
    ¿Cuál es el ave sin madre
que al padre no puede ver,
ni al hijo, y le vino a hacer
1320   después de muerto su padre?

BRAS

¿Polainas[114] y galleruza[115]
ha de tener?

BLANCA

Claro es.
Digan en rueda[116] los tres.

TERESA

El cuclillo.[117]

---

111 **mi pluma . . . corte:** "my pen is not cutting (malicious)." Hay un juego de palabras sobre *de corte* y *la Corte*, siendo ésta notoria por la malicia.
112 **grana:** "scarlet cloth".
113 **hogaño:** en este año.
114 **polainas:** "leggings".
115 **galleruza:** gallaruza ("cloak with hood").
116 **en rueda:** "in succession".
117 **cuclillo:** "cuckoo".

BRAS

La lechuza.[118]

BELARDO

1325   No hay ave a quien mejor cuadre
que el fénix,[119] ni otra ser puede,
pues esa misma procede
de las cenizas del padre.

BLANCA

El fénix es.

BELARDO

Yo gané.

BRAS

1330   Yo perdí, como otras veces.

BLANCA

No te doy lo que mereces.

BRAS

Un gorrino[120] le daré
a quien dijere el más caro
vicio que hay en el mundo.

BLANCA

1335   En que es el juego me fundo.[121]

---

118 **lechuza:** "owl".
119 **fénix:** ave fabulosa que renacía de sus propias cenizas.
120 **gorrino:** puerco pequeño.
121 **fundarse en:** "to base one's opinion on".

BRAS

Mentís, Branca, y esto es craro.[122]

TERESA

El de las mujeres, digo
que es más costoso.

BRAS

Mentís.
Vos, Belardo, ¿qué decís?

BELARDO

1340   Que el hombre de caza, amigo,
     tiene el de más perdición,
más costoso y infelice;
la moralidad[123] lo dice
del suceso de Anteón.[124]

BRAS

1345   Mentís también, que a mi juicio,
sin quedar de ello dudoso,
es el vicio más costoso
el del borracho, que es vicio
     con quien ninguno compite,
1350   que si pobre viene a ser
de lo que gastó en beber,
no puede tener desquite.[125]

(*Silba* DON GARCÍA.)

---

122 **craro:** claro.

123 **moralidad:** "moral".

124 **Anteón:** Acteón, que sorprendió a Diana y sus ninfas cuando se bañaban, fue transformado en ciervo por la diosa, y luego fue devorado por sus propios perros.

125 **desquite:** "recovery".

BLANCA

Oye, Bras, amigos, ea,
abrid, que es el alma mía;
1355   temprano viene García;
quiera Dios que por bien sea. *(Vanse.)*

GARCÍA

(Dentro.) Buenas noches, gente fiel.

BRAS

Seáis, señor, bien venido.

(Sale DON GARCÍA, BRAS, TERESA *y* BLANCA, *y arrima* DON
GARCÍA *el arcabuz al bufete.)*

GARCÍA

¿Cómo en Toledo te ha ido?

BRAS

1360   Al Conde di tu papel,
y dijo respondería.

GARCÍA

Está bien. Esposa amada,
¿no estáis mejor acostada?
¿Qué esperáis?

BLANCA

Que venga el día.
1365   Esperar como solía
a su cazador la diosa,[126]
madre de amor cuidadosa,

---

126 **esperar . . . la diosa:** alusión a la leyenda de Venus y Adonis. Cuando su amante fue
muerto por un jabalí, la diosa lo transformó en flor.

cuando dejaba los lazos
y hallaba en sus tiernos brazos
1370   otra cárcel más hermosa,
     vínculo de amor estrecho
donde yacía su bien,
a quien dio parte también,
del alma como del lecho;
1375   mas yo, con mejor derecho,
cazador que al otro excedes,
haré de mis brazos redes,
y porque caigas pondré
de una tórtola[127] la fe,
1380   cuyo llanto excusar puedes.
     Llega, que en llanto amoroso,
no rebelde jabalí,
te consagro un ave, sí,
que lloraba por su esposo.
1385   Concédete generoso
a vínculos permitidos,
y escucharán tus oídos
en la palestra de pluma,[128]
arrullos blandos, en suma,
1390   y no en el monte bramidos.
     Que si bien estar pudiera
quejosa de que te alejes
de noche, y mis brazos dejes
por esperar una fiera,
1395   adórote de manera,
que aunque propongo a mis ojos
quejas y tiernos despojos,[129]
cuando vuelves desta suerte,

---

[127] **tórtola:** "turtledove", símbolo de la casta viuda que no vuelve a casarse.
[128] **palestra de pluma:** cama de plumas.
[129] **despojo:** lágrima.

por el contento de verte,
1400   te agradezco los enojos.

GARCÍA

Blanca, hermosa Blanca, rama
llena por mayo de flor,
que es con tu bello color
etíope Guadarrama;[130]
1405   Blanca, con quien es la llama
del rojo planeta[131] obscura,
y herido de su luz pura,
el terso cristal pizarra,[132]
que eres la acción[133] más bizarra
1410   del poder de la hermosura;
cuando alguna conveniencia
me aparte y quejosa quedes,
no más dolor darme puedes,
que el que padezco en tu ausencia;
1415   cuando vuelvo a tu presencia,
de dejarte arrepentido,
en vano el pecho ofendido
me recibiera terrible,
que en la gloria no es posible
1420   atormentar al sentido.
Las almas en nuestros brazos
vivan heridas y estrechas,
ya con repetidas flechas,
ya con recíprocos lazos;
1425   no se tejan con abrazos
la vid y el olmo[134] frondoso,

---

130 **que es ... etíope Guadarrama:** es decir que en comparación con la blancura de
Blanca, la Guadarrama (sierra cerca de Madrid cubierta de nieve en el invierno) parece ser tan
negro como un etíope ("Ethiopian").

131 **rojo planeta:** se refiere al sol.

132 **herido ... pizarra:** "struck by its (the sun's) pure light, limpid water is dark as
slate."

133 **acción:** obra.

134 **vid, olmo:** "vine", "elm".

más estrecho que tu esposo
y tú, Blanca; llega, amor,
que no hay contento mayor
1430   que rogar a un deseoso.
       Y aunque no te traigo aquí,
del sol a la hurtada luz,
herido con mi arcabuz
el cerdoso[135] jabalí
1435   ni el oso ladrón, que vi
hurtar del corto vergel[136]
dos repúblicas de miel,[137]
y después, a pocos pasos,
en el humor de sus vasos
1440   bañar el hocico y piel,
       te traigo para trofeos
de jabalíes y osos,
por lo bien trabado hermosos
y distintamente feos,[138]
1445   un alma y muchos deseos
para alfombras de tus pies;
y me parece que es,
cuando tus méritos toco,
cuanto os he escuchado, poco,
1450   como es poco cuanto ves.

BRAS

¿Teresa allí? ¡Vive Dios!

TERESA

Pues aquí, ¿quién vive, Bras?

---

[135] **cerdoso:** "bristly".

[136] **vergel:** huerto.

[137] **república de miel:** "honeycomb".

[138] **para trofeos . . . feos:** "to serve as trophies, instead of boars and bears, which are both beautiful and ugly because of this very combination . . ."

BRAS

Aquí vive Barrabás,
hasta que chante a los dos
1455   las bendiciones del cura;[139]
porque un casado, aunque pena,
con lo que otro se condena,
su salvación asegura.

TERESA

¿Con qué?

BRAS

Con tener amor
1460   a su mujer y aumentar.

TERESA

Eso, Bras, es trabajar
en la viña del Señor.

BLANCA

Desnudaos, que en tanto[140] quiero
preveniros, prenda[141] amada,
1465   ropa por mi mano hilada,
que huele más que el romero;
y os juro que es más sutil
que ser la de Holanda suele,
porque cuando a limpia huele,
1470   no ha menester al abril.[142]
Venid los dos. *(Vase.)*

---

139 **Aquí . . . cura:** Bras quiere decir que seguirá viviendo condenado como Barrabás, prisionero puesto en libertad cuando Cristo fue apresado, hasta que el cura les eche la bendición en las bodas. Hay un juego de palabras sobre los dos sentidos de *chantar,* "to force upon" y "to speak bluntly".

140 **en tanto:** entretanto.

141 **prenda:** persona amada ("darling").

142 **no ha menester al abril:** no tiene necesidad de (los olores fragantes) de abril.

BRAS

Siempre he oído
que suele echarse de ver[143]
el amor de la mujer
en la ropa del marido.

TERESA

1475   También en la sierra es fama
que amor ni honra no tiene
quien va a la Corte y se viene
sin joyas para su dama. *(Vanse.)*

GARCÍA

Envídienme en mi estado
1480   las ricas y ambiciosas majestades,
mi bienaventurado
albergue, de delicias coronado
y rico de verdades;
envidien las deidades,
1485   profanas y ambiciosas,
mi venturoso empleo;[144]
envidien codiciosas,
que cuando a Blanca veo,
su beldad pone límite al deseo,
1490   ¡Válgame el Cielo! ¿Qué miro?

(Sale DON MENDO *abriendo el balcón de golpe y embózase.)*

MENDO

(Ap.) (¡Vive Dios, que es el que veo
García del Castañar!
¡Valor, corazón! Ya es hecho.

---

143 **echarse de ver:** observar.
144 **venturoso empleo:** dichosos amores.

Quien de un villano confía
1495   no espere mejor suceso.)

GARCÍA

Hidalgo, si serlo puede
quien de acción tan baja es dueño,
si alguna necesidad
a robarme os ha dispuesto,
1500   decidme lo que queréis,
que por quien soy[145] os prometo
que de mi casa volváis
por mi mano satisfecho.

MENDO

Dejadme volver, García.

GARCÍA

1505   Eso no, porque primero
he de conocer quién sois;
y descubríos muy presto,
u[146] deste arcabuz la bala,
penetrará vuestro pecho.

MENDO

1510   Pues advertid no me erréis,[147]
que si con vos igual quedo,
lo que en razón me lleváis,[148]
en sangre y valor os llevo.
Yo sé que el Conde de Orgaz
1515   lo ha dicho a alguno en secreto,

---

[145] **por quien soy**: "upon my honor".
[146] **u**: Nótese que a veces se empleaba la conjunción *u* en vez de *o* ante palabras que no empezaban con *o*.
[147] **errar**: "to err, to miss".
[148] **llevar**: "to have the advantage, to exceed".

informándole de mí.
La banda que cruza el pecho,
de quien soy, testigo sea.

García

(Ap.) (El Rey es, ¡válgame el Cielo!,
1520   y que le conozco sabe.

(Cáesele el arcabuz.)

Honor y lealtad, ¿qué haremos?
¡Qué contradicción implica
la lealtad con el remedio!)

Mendo

(Ap.) (¡Qué propia acción de villanos![149]
1525   Temor me tiene o respeto,
aunque para un hombre humilde
bastaba sólo mi esfuerzo;
el que encareció el de Orgaz
por valiente... ¡Al fin, es viejo!)
1530   En vuestra casa me halláis,
ni huir ni negarlo puedo,
mas en ella entré esta noche...

García

¡A hurtarme el honor que tengo!
¡Muy bien pagáis, a mi fe,
1535   el hospedaje, por cierto,
que os hicimos Blanca y yo!
¡Ved qué contrarios efetos
verá entre los dos el mundo,
pues yo ofendido os venero,

---

[149] **¡Qué ... villanos!:** se refiere al hecho de que García dejó caer el arcabuz.

1540   y vos, de mi fe servido,
           me dais agravios por premios!

MENDO

(Ap.) (No hay que fiar de un villano
ofendido, pues que puedo,
me defenderé con éste.)[150]

GARCÍA

1545   ¿Qué hacéis? Dejad en el suelo
           el arcabuz y advertid
           que os lo estorbo, porque quiero
           no atribuyáis a ventaja
           el fin de aqueste suceso,
1550   que para mí basta sólo
           la banda de vuestro cuello,
           cinta del sol de Castilla,
           a cuya luz estoy ciego.

MENDO

¿Al fin me habéis conocido?

GARCÍA

1555   Miradlo por los efectos.

MENDO

Pues quien nace como yo
no satisface,[151] ¿qué haremos?

GARCÍA

Que os vais,[152] y rogad a Dios
que enfrene[153] vuestros deseos,

---

150 **éste:** se refiere al arcabuz.
151 **satisfacer:** deshacer un agravio.
152 **vais:** vayáis.
153 **enfrenar:** refrenar.

1560 y al Castañar no volváis,
que de vuestros desaciertos
no puedo tomar venganza,
sino remitirla al Cielo.

MENDO

Yo lo pagaré, García.

GARCÍA

1565 No quiero favores vuestros.

MENDO

No sepa el Conde de Orgaz
esta acción.

GARCÍA

Yo os lo prometo.

MENDO

Quedad con Dios.

GARCÍA

El os aguarde
y a mí de vuestros intentos
1570 y a Blanca.

MENDO

Vuestra mujer . . .

GARCÍA

No, señor, no habléis en eso,
que vuestra será la culpa.
Yo sé la mujer que tengo.

MENDO

(Ap.) (¡Ay, Blanca, sin vida estoy!
1575   ¡Qué dos contrarios opuestos!
Este me estima ofendido;
tú, adorándote, me has muerto.)

GARCÍA

¿Adónde vais?

MENDO

A la puerta.

GARCÍA

¡Qué ciego venís, qué ciego!
1580   Por aquí habéis de salir.

MENDO

¿Conocéisme?

GARCÍA

Yo os prometo
que a no conocer quien sois
que bajárades[154] más presto;
mas tomad este arcabuz
1585   agora, porque os advierto
que hay en el monte ladrones
y que podrán ofenderos
si, como yo, no os conocen.
Bajad aprisa. *(Ap.)* (No quiero
1590   que sepa Blanca este caso.)

MENDO

Razón es obedeceros.

---

154 **bajárades:** bajarais.

GARCÍA

Aprisa, aprisa, señor;
remitid[155] los cumplimientos,
y mirad que al descender
1595 no caigáis, porque no quiero
que tropecéis en mi casa,
porque de ella os vais presto.

MENDO

(Ap.) (¡Muerto voy!) *(Vase.)*

GARCÍA

Bajad seguro,
pues que yo la escala os tengo.
1600 ¡Cansada estabas, Fortuna,
de estarte fija un momento!
¡Qué vuelta diste tan fiera
en aqueste mar! ¡Qué presto
que se han trocado los aires!
1605 ¡En qué día tan sereno
contra mi seguridad
fulmina[156] rayos el Cielo!
Ciertas mis desdichas son,
pues no dudo lo que veo,
1610 que a Blanca, mi esposa, busca
el rey Alfonso encubierto.
¡Qué desdichado que soy,
pues altamente naciendo
en Castilla Conde, fui
1615 de aquestos montes plebeyo[157]
labrador, y desde hoy
a estado más vil desciendo!

---

155 **remitir:** suspender.
156 **fulminar:** arrojar (rayos).
157 **plebeyo:** "plebeian, common".

¿Así paga el rey Alfonso
los servicios que le he hecho?
1620   Mas desdicha será mía,
no culpa suya; callemos
y, afligido corazón,
prevengamos el remedio,
que para animosas almas
1625   son las penas y los riesgos.
Mudemos tierra con Blanca,
sagrado[158] sea otro reino
de mi inocencia y mi honor...
pero dirán que es de miedo,
1630   pues no he de decir la causa,
y que me faltó el esfuerzo
para ir contra Algecira.
¡Es verdad! Mejor acuerdo
es decir al Rey quien soy...
1635   mas no, García, no es bueno,
que te quitará la vida,
porque no estorbe su intento;
pero si Blanca es la causa
y resistirle no puedo,
1640   que las pasiones de un Rey
no se sujetan al freno[159]
ni a la razón, ¡muera Blanca!,

(*Saca el puñal.*)

pues es causa de mis riesgos
y deshonor, y elijamos,
1645   corazón, del mal lo menos.[160]
A muerte te ha condenado

---

[158] **sagrado:** asilo.
[159] **freno:** "restraint".
[160] **del mal lo menos:** variante de un dicho que significa que entre dos males, se debe elegir el menor.

mi honor, cuando no[161] mis celos,
porque a costa de tu vida,
de una infamia me prevengo.
1650 Perdóname, Blanca mía,
que, aunque de culpa te absuelvo,
sólo por razón de estado,
a la muerte te condeno.
Mas ¿es bien que conveniencias
1655 de estado en un caballero,
contra una inocente vida,
puedan más que no[162] el derecho?
Sí. ¿Cuándo la Providencia
y cuándo el discurso atento
1660 miran el daño futuro
por los presentes sucesos?
Mas ¿yo he de ser, Blanca mía,
tan bárbaro y tan severo,
que he de sacar los claveles[163]
1665 con aquéste[164] de tu pecho
de jazmines? No es posible,
Blanca hermosa, no lo creo,
ni podrá romper mi mano
de mis ojos el espejo.
1670 Mas ¿de su beldad, ahora
que me va el honor, me acuerdo?
¡Muera Blanca y muera yo!
¡Valor, corazón! Y entremos
en una a quitar dos vidas,[165]
1675 en uno a pasar dos pechos,
en una a sacar dos almas

---

161 **cuando no:** si no.
162 **no:** es redundante.
163 **clavel:** (*fig.*) la sangre.
164 **aquéste:** se refiere al puñal.
165 **entremos . . . vidas:** Léase: "entremos a quitar dos vidas en una, a pasar dos pechos en uno, etc."

en uno a cortar dos cuellos,
si no me falta el valor,
si no desmaya el aliento
1680   y si no, al alzar los brazos,
entre la voz y el silencio,
la sangre salta a las venas
y el corte le falta al hierro.

CUESTIONARIO

Sobre páginas 59–79

1. ¿Quién era el padre de Blanca?

2. Según Bras, ¿de dónde viene su nombre?

3. ¿Cómo soborna don Mendo a Bras para que éste le ayude a conquistar a Blanca?

4. ¿Por qué no es lógico que Bras traicione a sus amos?

5. ¿Qué puesto piensa dar el rey a García?

6. Nótese que en el soliloquio de García que empieza con el verso 1961 hay varias imágenes que se aplican a fieras—osos, lobos, jabalíes. ¿Cómo se refieren estas imágenes simbólicamente a uno de los personajes?

7. ¿Hay imágenes que puedan referirse a Blanca? Comente Ud.

8. ¿Quién es la "parca común" de las fieras? ¿Por qué?

9. ¿Con qué intento hace traer don Mendo la escala?

10. Desde el punto de vista dramático, ¿está bien pensado el encuentro de don Mendo y García en el bosque?

Sobre páginas 79–102

11. ¿Qué diferencias se notan en la actitud de Blanca y de Teresa sobre la ausencia de García y Bras?

12. ¿Por qué es buena la cruz de Caravaca?

13. Describa Ud. Toledo según lo pinta Bras.

14. ¿A qué leyenda mitológica se alude Blanca al dar la bienvenida a su marido?

15. ¿Qué términos emplea García para hacer resaltar la blancura y hermosura de Blanca?

16. ¿Por qué se le cae a García el arcabuz?

17. ¿Por qué no puede vengarse García de la ofensa a su honor?

18. Después de irse don Mendo, ¿cuáles son los varios planes que considera García para remediar su agravio?

19. ¿En qué sentido es necesario que muera Blanca "por razón de estado"?

20. ¿Es verosímil el dilema de García desde el punto de vista moderno? Explíquese.

JORNADA TERCERA

(Sale el Conde *de camino.)*

CONDE

Trae los caballos de la rienda, Tello,
1685   que a pie quiero gozar del día bello,
pues tomó de este monte,
el día posesión deste horizonte.
¡Qué campo deleitoso!
Tú que le vives,[1] morarás dichoso,
1690   pues en él, don García,
dotrina[2] das a la filosofía,
y la mujer más cuerda,
Blanca en virtud, en apellido Cerda;
pero si no me miente
1695   la vista, sale apresuradamente,
con señas celestiales,
de entre aquellos jarales.[3]
una mujer desnuda:[4]
bella será si es infeliz,[5] sin duda.

(Sale Doña Blanca *con algo de sus vestidos en los brazos, mal puesto.)*

---

[1] **le vives:** vives en él.

[2] **dotrina:** doctrina.

[3] **jaral:** "bramble".

[4] **mujer desnuda:** Blanca aparece medio desnuda aquí, pero uno de los recursos favoritos de Rojas es la descripción de la mujer desnuda que se baña en un arroyo.

[5] **bella . . . infeliz.** Véase la nota 14 del acto segundo.

BLANCA

1700 ¿Dónde voy sin aliento,
cansada, sin amparo, sin intento,
entre aquella espesura?[6]
Llorad, ojos, llorad mi desventura,
y en tanto que me visto,
1705 decid, pues no resisto,
lenguas del corazón sin alegría:
¡Ay, dulces prendas cuando Dios quería![7]

CONDE

Aunque mal determino,[8]
parece que se viste, y imagino
1710 que está turbada y sola;
de la sangre española
digna empresa es aquésta.

BLANCA

Un hombre para mí la planta apresta.[9]

CONDE

Parece hermosa dama.

BLANCA

1715 Quiero esconderme entre la verde rama.

CONDE

Mujer, escucha, tente.
¿Sales, como Diana, de la fuente

---

6 **espesura:** lugar de espesa vegetación.

7 **¡Ay . . . Dios quería!:** Este verso está basado en dos versos conocidísimos del *Soneto X* de Garcilaso de la Vega: "¡Oh, dulces prendas por mi mal halladas,/ dulces y alegres cuando Dios quería!"

8 **determinar:** percibir.

9 **Un hombre . . . apresta:** Un hombre viene hacia mí con prisa.

para matar, severa,
de amor al cazador como a la fiera?[10]

BLANCA

1720   Mas ¡ay, suerte dichosa!,
éste es el Conde.

CONDE

¡Hija, Blanca hermosa!
¿Dónde vas desta suerte?

BLANCA

Huyendo de mi esposo y de mi muerte;
ya las dulces canciones
1725   que en tanto que dormía en mis balcones,
alternaban las aves,
no son, ¡oh, Conde!, epitalamios[11] graves.
Serán, ¡oh, dueño mío!,
de pájaro funesto agüero[12] impío
1730   que el día entero y que las noches todas
cante mi muerte por cantar mis bodas.
Trocóse mi ventura;
oye la causa y presto te asegura,
y ve a mi casa, adonde
1735   muerto hallarás mi esposo. ¡Muerto, Conde!
Aquesta noche, cuando
le aguardaba mi amor en lecho blando,
último del deseo,
término santo y templo de Himeneo,[13]
1740   cuando yo le invocaba,

---

[10] Se alude probablemente a la leyenda de Diana y Acteón. Véase la nota 124 del acto segundo.

[11] **epitalamio:** canción de bodas.

[12] **agüero:** "omen".

[13] **Himeneo:** dios del matrimonio.

y la familia[14] recogida estaba,
entrar le vi severo,
blandiendo[15] contra mí un blanco acero;
dejé entonces la cama,
1745 como quien sale de improvisa llama,
y mis vestidos busco,
y al ponerme, me ofusco
esta cota[16] brillante.
¡Mira qué fuerte peto[17] de diamantes!
1750 Vístome el faldellín[18] y apenas puedo
hallar las cintas ni salir del ruedo.[19]
Pero, sin compostura,
le aplico a mi cintura,
y mientras le acomodo,
1755 lugar me dio la suspensión[20] a todo.
La causa le pregunto,
mas él, casi difunto,
a cuanto vio y a cuanto le decía,
con un suspiro ardiente respondía,
1760 lanzando de su pecho y de sus ojos
piedades confundidas con enojos,
tan juntos, que dudaba
si eran iras o amor lo que miraba,
pues de mí retirado,
1765 le vi volver más tierno, más airado,
diciéndome, entre fiero y entre amante:
"Tú, Blanca, has de morir, y yo al instante."
Mas el brazo levanta,
y abortando[21] su voz en su garganta,

---

14 **familia.** Véase la nota 31 del acto primero.
15 **blandir:** "to brandish".
16 **cota:** jubón de mallas.
17 **peto:** "breastplate".
18 **faldellín:** falda corta.
19 **salir del ruedo:** "to get untangled from the hem".
20 **suspensión:** pausa.
21 **abortar:** aquí, "to stifle".

1770   cuando mi fin recelo,
       caer le vi en el suelo,
       cual suele el risco cano,[22]
       del aire impulso[23] descender al llano,
       y yerto en él,[24] y mudo,
1775   de aquel monte membrudo,[25]
       suceder en sus labios y en sus ojos
       pálidas flores a claveles rojos,[26]
       y con mi boca y mi turbada mano,
       busco el calor entre su hielo en vano,
1780   y estuve desta suerte
       neutral un rato entre la vida y muerte;
       hasta que, ya latiendo,
       oí mi corazón estar diciendo:
       "Vete, Blanca, infelice,[27]
1785   que no son siempre iguales
       los bienes y los males,
       y no hay acción alguna
       más vil que sujetarse a la Fortuna."
       Yo le[28] obedezco, y dejo
1790   mi aposento y mi esposo, y de él me alejo,
       y en mis brazos, sin bríos,
       mal acomodo los vestidos míos.
       Por donde voy no veía,
       cada paso caía,
1795   y era, Conde, forzoso,
       por volver a mirar mi amado esposo.
       Las cosas que me dijo
       cuando la muerte intimó y predijo,

---

[22] **cano:** cubierto de nieve.
[23] **del aire impulso:** movido por el viento.
[24] **él:** se refiere al suelo.
[25] **membrudo:** robusto.
[26] **suceder . . . a claveles rojas:** modo poético de decir que cuando se desmayó García, se le pusieron pálidos los ojos y los labios.
[27] Después de este verso falta otro que debiera rimar con *infelice*.
[28] **le:** se refiere al corazón.

los llantos, los clamores,
1800 la blandura[29] mezclada con rigores,
los acometimientos, los retiros,
las disputas, las dudas, los suspiros,
el verle amante y fiero,
ya derribarse[30] el brazo, ya severo
1805 levantarle arrogante,
como la llama en su postrero instante,
el templar sus enojos
con llanto de mis ojos,
el luchar, y no en vano,
1810 con su puñal mi mano,
que con arte[31] consiente
vencerse fácilmente,
como amante que niega
lo que desea dar a quien le ruega;
1815 el esperar mi pecho
el crudo golpe, en lágrimas deshecho;
ver aquel mundo breve,[32]
que en fuego comenzó y acabó nieve,
y verme a mí asombrada,
1820 sin determinación, sola y turbada,
sin encontrar recurso
en mis pies, en mi mano, en mi discurso;
el dejarle en la tierra,
como suele en la sierra
1825 la destroncada[33] encina,
el que oyó de su guarda la bocina,[34]
que deja al enemigo,
desierto el tronco en quien[35] buscaba abrigo;

---

29 **blandura:** suavidad.
30 **derribarse:** bajarse.
31 **arte:** destreza.
32 **mundo breve:** metáfora para indicar el hombre. Aquí se refiere a García.
33 **destroncado:** "cut down".
34 **bocina:** "trumpet".
35 **quien:** que.

el buscar de mis puertas,
1830 con las plantas inciertas,
las llaves, y sintiendo . . .
¡aquí, señor, me ha de faltar aliento . . . !
el abrirle a escuras,[36]
el no poder hallar las cerraduras,[37]
1835 tan turbada y sin juicio,
que la[38] buscaba de uno en otro quicio,[39]
y las penas que pasa
el corazón, cuando dejé mi casa,
por estas espesuras,
1840 en cuyas ramas duras
hallarás mis cabellos . . . ,
¡plugiera a Dios me suspendiera en ellos . . . ! ,
te contaré otro día;
agora ve, socorre al alma mía,
1845 que queda de este modo;
yo lo perdono todo,
que no es, señor, posible
fuese su brazo contra mí terrible
sin algún fundamento;
1850 bástele por castigo el mismo intento,
y a mí por pena básteme el cuidado,
pues yace, si no muerto, desmayado.
Acúdele a mi esposo,
¡oh, Conde valeroso! ,
1855 sucesor y pariente
de tanta, con diadema, honrada frente;[40]
así la blanca plata[41]
que por tu grave pecho se dilata,

---

36 **escuras:** obscuras.
37 **cerradura:** "lock".
38 **la:** se refiere a una de las cerraduras.
39 **quicio:** "doorjamb".
40 **sucesor . . . frente:** se alude a la sangre real del Conde, pariente de reyes que llevaban corona (diadema).
41 **blanca plata:** se refiere a la barba del Conde.

barra de España las moriscas huellas,
1860   sin dejar en su suelo señal de ellas,
que los pasos dirijas
adonde, si está vivo, le corrijas
de fiereza tan dura,
y seas, porque cobre mi ventura
1865   cuando de mí te informe,
árbitro entre los dos que nos conforme,
pues los hados fatales,
me dieron el remedio entre los males,
pues mi fortuna quiso
1870   hallase en ti favor, amparo, aviso;
pues que miran mis ojos,
no salteadores de quien ser despojos;[42]
pues eres, Conde ilustre,
gloria de Illán[43] y de Toledo lustre;
1875   pues que plugo[44] a mi suerte
la vida hallase quien tocó la muerte.

CONDE

Digno es el caso de prudencia mucha:
éste es mi parecer. ¡Ah, Tello! Escucha.

(Sale TELLO.*)*

Ya sabes, Blanca, como siempre es justo
1880   acudas a mi gusto;
así, sin replicarme,
con Tello al punto, sin excusas darme,
en aquese caballo, que lealmente
a mi persona sirve juntamente,
1885   caminad a Toledo;

---

[42] **pues que . . . despojos:** "since my eyes behold no highwaymen by whom I might be plundered."

[43] **Illán:** uno de los apellidos del Conde. Véase la nota 14 del acto primero.

[44] **plugo:** es una forma del pretérito de *placer*.

esto conviene, Blanca, esto hacer puedo.
Y tú, a Palacio llega,[45]
a la Reina la entrega,
que yo voy a tu casa,

1890   que por llegar el corazón se abrasa,
y de estar de tu parte
para servirte, Blanca, y ampararte.

TELLO

Vamos, señora mía.

BLANCA

Más quisiera, señor, ver a García.

CONDE

1895   Que aquesto importa advierte.

BLANCA

Principio es de acertar, obedecerte.

(Vase, y sale DON GARCÍA *con el puñal desnudo.)*

GARCÍA

¿Dónde voy, ciego homicida?
¿Dónde me llevas, honor,
sin el alma de mi amor,

1900   sin el cuerpo de mi vida?
¡Adiós, mitad dividida
del alma, sol que eclipsó
una sombra! Pero no,
que muerta la esposa mía,

1905   ni tuviera luz el día
ni tuviera vida yo.

---

45 El Conde se dirige a Tello en los versos 1887–1888.

    ¿Blanca muerta? No lo creo;
el Cielo vida la dé
aunque esposo la quité
1910 lo que amante la deseo;
quiero verla, pero veo
sólo el retrete,[46] y abierta
de mi aposento la puerta,
limpio en mi mano el puñal,
1915 y en fin, yo vivo, señal
de que mi esposa no es muerta.
    ¿Blanca con vida, ¡ay de mí!,
cuando yo sin honra estoy?
¡Como ciego amante soy,
1920 esposo cobarde fui!
Al Rey en mi casa vi
buscando mi prenda hermosa,
y aunque noble, fue forzosa
obligación de la ley
1925 ser piadoso con el Rey
y tirano[47] con mi esposa.
    ¡Cuántas veces fue tirano
acero a la ejecución,
y cuántas el corazón
1930 dispensó el golpe a la mano![48]
Si es muerta, morir es llano;
si vive, muerto he de ser.
¡Blanca! ¡Blanca! ¿Qué he de hacer?
Mas, ¿qué me puedes decir,
1935 pues sólo para morir
me has dejado en qué escoger?

(Sale el CONDE.*)*

---

[46] **retrete:** "boudoir".
[47] **tirano:** "tyrannical, cruel".
[48] **¡Cuántas veces . . . a la mano!:** "How many times the cruel dagger was ready for the execution and how many times my heart restrained my hand from the thrust!"

CONDE

Dígame vueseñoría:[49]
¿contra qué morisco alfanje[50]
sacó el puñal esta noche
1940   que está en su mano cobarde?
¿Contra una flaca mujer,
por presumir, ignorante,
que es villana? Bien se acuerda,
cuando propuso casarse,
1945   que le dije era su igual,
y mentí, porque un Infante
de los Cerdas[51] fue su abuelo,
si Conde su noble padre.
¿Y con una labradora
1950   se afrentara? ¡Cómo sabe
que el Rey ha venido a verle,
y por mi voto le hace
Capitán de aquesta guerra,
y me envía de su parte
1955   a que lo lleve a Toledo ... !
¿Es bien que aquesto se pague
con su muerte, siendo Blanca
luz de mis ojos brillante?
Pues, ¡vive Dios!, que le había
1960   de costar[52] al loco, al fácil,[53]
cuanta sangre hay en sus venas
una gota de su sangre.

GARCÍA

Decidme: Blanca, ¿quién es?

---

49 **vueseñoría:** vuestra señoría ("your Lordship").
50 **alfanje:** "cutlass".
51 **los Cerdas:** Véase la nota 75 del acto primero.
52 Nótese que *gota* es el sujeto de *había de costar*.
53 **fácil:** "facile, easy to influence".

CONDE

Su mujer, y aquesto baste.

GARCÍA

1965 Reportaos[54] ¿Quién os ha dicho
que quise matarla?

CONDE

Un ángel
que hallé desnudo en el monte;
Blanca, que, entre sus jarales,
perlas[55] daba a los arroyos,
1970 tristes suspiros al aire.

GARCÍA

¿Dónde está Blanca?

CONDE

A Palacio,
esfera de su real sangre,
la envié con un criado.

GARCÍA

¡Matadme, señor; matadme!
1975 ¡Blanca en Palacio y yo vivo!
Agravios, honor, pesares,[56]
¿cómo, si sois tantos juntos,
no me acaban tantos males?
¿Mi esposa en Palacio, Conde?
1980 ¿Y el Rey, que los Cielos guarden,
me envía contra Algecira

---

54 **reportarse**: contenerse.
55 **perla**: (*fig.*) lágrima.
56 **pesar**: pena.

por Capitán de sus haces,[57]
siendo en su opinión villano?
¡Quiera Dios que en otra parte
1985   no desdore[58] con afrentas
estas honras que me hace!
Yo me holgara, ¡a Dios pluguiera!,
que esa mujer que criasteis
en Orgaz para mi muerte,
1990   no fuera de estirpes reales,
sino villana y no hermosa,
y a Dios pluguiera que antes
que mi pecho enterneciera,
aqueste puñal infame
1995   su corazón, con mi riesgo,
le dividiera en dos partes;
que yo os excusara, Conde,
el vengarla y el matarme,
muriéndome yo primero.
2000   ¡Qué muerte tan agradable
hubiera sido, y no agora
oír, para atormentarme,
que está sin defensa adonde
todo el poder la combate!
2005   Haced cuenta[59] que mi esposa
es una bizarra nave
que por robarla, la busca
el pirata de los mares,
y en los enemigos puertos
2010   se entró, cuando vigilante
en los propios la buscaba,
sin pertrechos[60] que la guarden,

---

57 **haz:** tropa de soldados.
58 **desdorar:** deshonrar.
59 **hacer cuenta:** pensar, considerar.
60 **pertrechos:** armas.

sin piloto que la rija
y sin timón[61] y sin mástil.
2015   No es mucho que tema, Conde,
que se sujete la nave
por fuerza o por voluntad
al Capitán que la bate.
No quise, por ser humilde,
2020   dar la muerte ni fue en balde;
creed que, aunque no la digo,
fue causa más importante.
No puedo decir por qué,
mas advertid que más sabe,
2025   que el entendido en la ajena,
en su casa el ignorante.[62]

CONDE

¿Sabe quién soy?

GARCÍA

- Sois Toledo,
y sois Illán por linaje.

CONDE

¿Débeme respeto?

GARCÍA

Sí,
2030   que os he tenido por padre.

CONDE

¿Soy tu amigo?

---

[61] **timón:** "rudder".

[62] **más sabe . . . el ignorante:** Compárese el refrán, "Más sabe el loco en su casa que el cuerdo en la ajena."

GARCÍA

Claro está.

CONDE

¿Qué me debe?

GARCÍA

Cosas grandes.

CONDE

¿Sabe mi verdad?

GARCÍA

Es mucha.

CONDE

¿Y mi valor?

GARCÍA

Es notable.

CONDE

2035   ¿Sabe que presido a un reino?

GARCÍA

Con aprobación bastante.

CONDE

Pues confiesa lo que siente,
y puede de mí fiarse
el valor de un caballero
2040   tan afligido y tan grave,
dígame vueseñoría,

hijo, amigo, como padre,
como amigo, sus enojos;
cuénteme todos sus males;
2045 refiérame sus desdichas.
¿Teme que Blanca le agravie?
Que es, aunque noble, mujer.

GARCÍA

¡Vive Dios, Conde, que os mate
si pensáis que el sol ni el oro,
2050 en sus últimos quilates,[63]
para exagerar su honor,
es comparación bastante!

CONDE

Aunque habla como debe,
mi duda no satisface,
2055 por su dolor regulada.
Solos estamos, acabe;
por la cruz de aquesta espada
de acudille y de amparalle,[64]
si[65] fuera Blanca, mi hija,
2060 que en materia semejante
por su honra depondré
el amor y las piedades.
Dígame si tiene celos.

GARCÍA

No tengo celos de nadie.

CONDE

Pues, ¿qué tiene?

---

63 **en . . . quilates:** "with its maximum number of karats", o sea, en su más grande pureza.
64 **acudille, amparalle:** acudirle, ampararle.
65 **si:** aunque.

GARCÍA

2065   Tanto mal,
que no podéis remedialle.

CONDE

Pues ¿qué hemos de hacer los dos
en tan apretado lance?

GARCÍA

¿No manda el Rey que a Toledo
2070   me llevéis? Conde, llevadme.
Mas decid: ¿sabe quién soy
Su Majestad?

CONDE

No lo sabe.

GARCÍA

Pues vamos, Conde, a Toledo.

CONDE

Vamos, García.

GARCÍA

Id delante.

CONDE

2075   *(Ap.)* (Tu honor y vida amenaza,
Blanca, silencio tan grande,
que es[66] peligroso accidente[67]
mal que a los labios no sale.)

---

66 **es:** Nótese que *mal* es el sujeto.
67 **accidente:** "ailment".

GARCÍA

(Ap.) (¿No estás en Palacio, Blanca?
2080 ¿No te fuiste y me dejaste?
Pues venganza será ahora
la que fue prevención antes.)

(Vanse, y salen la REINA *y* DOÑA BLANCA.*)*

REINA

De vuestro amparo me obligo,
y creedme que me pesa
2085 de vuestros males, Condesa.

BLANCA

(Ap.) (¿Condesa? No habla conmigo.)
Mire Vuestra Majestad
que de quien soy no se acuerda.

REINA

Doña Blanca de la Cerda,
2090 prima, mis brazos tomad.

BLANCA

Aunque escuchándola estoy,
y sé no puede mentir,
vuelvo, señora, a decir
que una labradora soy,
2095 tan humilde, que en la villa
de Orgaz, pobre me crié,
sin padre.

REINA

Y padre que fue
propuesto Rey en Castilla.

De don Sancho de la Cerda
2100   sois hija; vuestro marido
es, Blanca, tan bien nacido
como vos, y pues sois cuerda,
    y en Palacio habéis de estar,
en tanto que vuelve el Conde,
2105   no digáis quién sois, y adonde
ha de ser voy a ordenar. *(Vase.)*

BLANCA

    ¿Habrá alguna, Cielo injusto,
a quién dé el hado cruel
los males tan de tropel,
2110   y los bienes tan sin gusto
    como a mí? ¿Ni podrá estar
viva con mal tan exento,[68]
que no da vida un contento
y da la muerte un pesar?
2115   ¡Ay, esposo, qué de enojos
me debes! Mas pesar tanto,
¿cómo lo dicen sin llanto
el corazón y los ojos?

(Pone un lienzo en el rostro y sale MENDO.)

MENDO

    Labradora que al abril
2120   florido en la gala imita,
de los bellos ojos quita
ese nublado sutil,
si no es que, con perlas mil,
bordas, llorando, la holanda.
2125   ¿Quién eres? La Reina manda
que te aguarde, y ya te espero.

---

[68] **con mal tan exento:** "with such unlimited trouble".

BLANCA

Vamos, señor caballero,
el que trae la roja banda.

MENDO

Bella labradora mía,
¿conócesme acaso?

BLANCA

2130   Sí;
pero tal estoy, que a mí
apenas me conocía.

MENDO

Desde que te vi aquel día
crüel para mí, señora,
2135 el corazón, que te adora,
ponerse a tus pies procura.

BLANCA

(Ap.) (¡Sólo aquesta desventura,
Blanca, te faltaba ahora!)

MENDO

     Anoche en tu casa entré
2140 con alas de amor por verte;
mudaste mi feliz suerte,
mas no se mudó mi fe;
tu esposo en ella encontré,
que cortés, me resistió.

BLANCA

2145 ¿Cómo? ¿Qué dices?

MENDO

Que no,
Blanca, la ventura halla[69]
amante que va a buscalla,
sino acaso,[70] como yo.

BLANCA

Ahora sé, caballero,
2150   que vuestros locos antojos
son causa de mis enojos,
que sufrir y callar quiero.

(Sale DON GARCÍA.*)*

GARCÍA

Al Conde de Orgaz espero.
Mas, ¿qué miro?

MENDO

Tu dolor
2155   satisfaré con amor.

BLANCA

Antes quitaréis primero
la autoridad[71] a un lucero
que no[72] la luz a mi honor.

GARCÍA

(Ap.) (¡Ah, valerosa mujer!
2160   ¡Oh, tirana Majestad!)

---

[69] Nótese que el sujeto de *halla* es *amante*; *ventura* es el objeto.
[70] **acaso:** por casualidad.
[71] **autoridad:** brillo.
[72] **no:** es redundante aquí y también en el verso 2165.

MENDO

Ten, Blanca, menos crueldad.

BLANCA

Tengo esposo.

MENDO

   Y yo poder,
y mejores han de ser
mis brazos que honra te dan,
2165 que no sus brazos.

BLANCA

    Sí harán,
porque, bien o mal nacido,
el más indigno marido
excede al mejor galán.

GARCÍA

  (Ap.) (Mas, ¿cómo puede sufrir
2170 un caballero esta ofensa?
Que no le conozco piensa
el Rey; saldréle a impedir.)

MENDO

¿Cómo te has de resistir?

BLANCA

Con firme valor.

MENDO

    ¿Quién vio
2175 tanta dureza?

BLANCA

Quien dio
fama a Roma en las edades.[73]

MENDO

¡Oh, qué villanas crueldades!
¿Quién puede impedirme?

GARCÍA

                              Yo,
que esto sólo se permite
2180   a mi estado y desconsuelo,
que contra rayos del Cielo,
ningún humano compite,
y sé que aunque solicite
el remedio que procuro,
2185   ni puedo ni me aseguro,
que aquí, contra mi rigor,
ha puesto el muro el amor,
y aquí el respeto otro muro.

BLANCA

¡Esposo mío, García!

MENDO

2190   *(Ap.)* (Disimular es cordura.)

GARCÍA

¡Oh, malograda hermosura!
¡Oh, poderosa porfía!

---

[73] **Quien . . . edades:** se alude a Lucrecia, mujer romana que, viéndose violada por Sexto Tarquino, se suicidó para limpiar la ofensa a su honor. Rojas escribió una tragedia, *Lucrecia y Tarquino*, sobre el asunto.

BLANCA

¡Grande fue la dicha mía!

GARCÍA

¡Mi desdicha fue mayor!

BLANCA

2195   Albricias pido a mi amor.

GARCÍA

Venganza pido a los Cielos,
pues en mis penas y celos
no halla remedio el honor;
    mas este remedio tiene:
2200   vamos, Blanca, al Castañar.

MENDO

En mi poder ha de estar
mientras otra cosa ordene,
que me han dicho que conviene
a la quietud de los dos
2205   el guardarla.

GARCÍA

          Guárdeos Dios
por la merced que la hacéis;
mas no es justo vos guardéis
lo que he de guardar de vos;
    que no es razón natural,
2210   ni se ha visto ni se ha usado,
que guarde el lobo al ganado
ni guarde el oso al panal.
Antes, señor, por mi mal
será si a Blanca no os quito,

2215   siendo de vuestro apetito,
        oso ciego, voraz lobo,
        o convidar con el robo
        o rogar con el delito.[74]

BLANCA

Dadme licencia,[75] señor.

MENDO

2220   Estás, Blanca, por mi cuenta,
        y no has de irte.

GARCÍA

                    Esta afrenta
        no os lo merece mi amor.

MENDO

Esto ha de ser.

GARCÍA

                    Es rigor
        que de injusticia procede.

MENDO

2225   *(Ap.)* (Para que en Palacio quede,
        a la Reina he de acudir.)
        De aquí no habéis de salir;
        ved que lo manda quien puede. *(Vase.)*

GARCÍA

        Denme los Cielos paciencia,
2230   pues ya me falta el valor,

---

[74] **siendo . . . delito:** "since to leave her to your appetite, which is like that of a blind bear or a voracious wolf, will be either to invite theft or encourage crime."
[75] **dar licencia:** dejar partir.

porque acudiendo a mi honor
me resisto a la obediencia.
¿Quién vio tan dura inclemencia?
Volved a ser homicida;
2235   mas del cuerpo dividida
el alma, siempre inmortales
serán mis penas, que hay males
que no acaban con la vida.

BLANCA

García, guárdete el Cielo;
2240   fénix, vive eternamente
y muera yo, que inocente
doy la causa a tu desvelo;
que llevaré por consuelo,
pues de tu gusto procede,
2245   mi muerte; tú vive y quede
viva en tu pecho al partirme.

GARCÍA

¿Qué, en efeto, no he de irme?
No, que lo manda quien puede.

BLANCA

Vuelve, si tu enojo es
2250   porque rompiendo tus lazos
la vida no di a tus brazos;
ya te la ofrezco a tus pies.
Ya sé quién eres, y pues
tu honra está asegurada
2255   con mi muerte, en tu alentada
mano blasone[76] tu acero
que aseguró a un caballero

---

76 **blasonar:** hacer ostentación.

y mató a una desdichada;
　　que quiero me des la muerte
2260　como lo ruego a tu mano,
que si te temí tirano,
ya te solicito fuerte;
anoche temí perderte,
y agora llego a sentir
2265　tu pena; no has de vivir
sin honor, y pues yo muero
porque vivas, sólo quiero
que me agradezcas morir.

GARCÍA

　　Bien sé que inocente estás,
2270　y en vano a mi honor previenes,
sin la culpa que no tienes,
la disculpa que me das . . .
Tu muerte sentiré más,
yo sin honra y tú sin culpa;
2275　que mueras el amor culpa,
que vivas siente el honor,
y en vano me culpa amor,
cuando el honor me disculpa.
　　Aquí admiro la razón,
2280　temo allí la majestad;
matarte será crueldad,
vengarme será traición;
que tales mis males son,
y mis desdichas son tales,
2285　que unas a otras iguales,
de tal suerte se suceden,
que sólo impedir se pueden
las desdichas con los males.
　　Y sin que me falte alguno,[77]

---

77 **alguno:** algún mal.

2290   los hallo por varios modos,
con el sentimiento a todos,
con el remedio a ninguno;
en lance tan importuno
consejo te he de pedir,
2295   Blanca; mas si has de morir,
¿qué remedio me has de dar,
si lo que he de remediar
es lo que llego a sentir?

BLANCA

     Si he de morir, mi García,
2300   no me trates desa suerte,
que la dilatada muerte
especie es de tiranía,

GARCÍA

¡Ay, querida esposa mía,
qué dos contrarios extremos!

BLANCA

2305   Vamos, esposo.

GARCÍA

       Esperemos
a quien nos supo mandar
no volver al Castañar.
Aparta y disimulemos ...

(Salen el REY, *la* REINA, *el* CONDE *y* DON MENDO, *y los que
pudieren.)* [78]

REY

     ¿Blanca en Palacio y García?
2310   Tan contento en ello estoy,

---

[78] **los que pudieren:** those who can fit on stage.

que estimaré tengan hoy
de vuestra mano y la mía
lo que merecen.

MENDO

                    No es bueno
quien por respetos, señor,
2315 no satisface su honor
para encargarle el ajeno.
        Créame, que se confía
de mí Vuestra Majestad.

REY

(Ap.) (Esta es poca voluntad.)
2320 Mas allí Blanca y García
        están. Llegad, porque quiero
mi amor conozcáis los dos.

GARCÍA

Caballero, guárdeos Dios.
Dejadnos besar primero
2325   de Su Majestad los pies.

MENDO

Aquél es el Rey, García.

GARCÍA

(Ap.) (¡Honra desdichada mía!
¿Qué engaño es éste que ves?)
        A los dos, Su Majestad . . .
2330 besar la mano, señor . . .
pues merece este favor . . .
que bien podéis . . .

REY

Apartad,
quitad la mano; el color
habéis del rostro perdido.

GARCÍA

2335   *(Ap.)* (No le[79] trae el bien nacido
cuando ha perdido el honor.)
Escuchad aquí un secreto;
sois sol, y como me postro
a vuestros rayos, mi rostro
2340   descubrió claro el efeto.

REY

¿Estáis agraviado?

GARCÍA

Y ve
mi ofensor,[80] porque me asombre.

REY

¿Quién es?

GARCÍA

Ignoro su nombre.

REY

Señaládmele.

GARCÍA

Sí haré. *(Aparte a* DON MENDO.*)*
2345   (Aquí fuera hablaros quiero

---

79 **le:** se refiere a color.
80 **ofensor:** el que ofende, injuria o insulta.

para un negocio importante,
que el Rey no ha de estar delante.)

MENDO

(En la antecámara[81] espero.) *(Vase.)*

GARCÍA

¡Valor, corazón, valor!

REY

2350   ¿Adónde, García, vais?

GARCÍA

A cumplir lo que mandáis,
pues no sois vos mi ofensor. *(Vase.)*

REY

Triste de su agravio estoy;
ver a quién señala quiero.

GARCÍA

2355   *(Dentro.)* ¡Este es honor, caballero!

REY

¡Ten, villano!

MENDO

¡Muerto soy!

(Sale GARCÍA *envainando*[82] *el puñal ensangrentado.)*

---

[81] **antecámara:** antesala, vestíbulo.
[82] **envainar:** "to sheathe".

GARCÍA

No soy quien piensas, Alfonso;
no soy villano, ni injurio
sin razón la inmunidad[83]
2360   de tus palacios augustos.
Debajo de aqueste traje
generosa sangre encubro,
que no sé más de los montes
que el desengaño y el uso.[84]
2365   Don Fernando el Emplazado[85]
fue tu padre, que difunto
no menos que ardiente joven
asombrado dejó el mundo,
y a ti de un año, en sazón
2370   que campaba[86] el moro adusto,
y comenzaba a fundar
en Asia su imperio el turco.
Eran en Castilla entonces
poderosos, como muchos,
2375   los Laras,[87] y de los Cerdas
cierto el derecho, entre algunos,
a tu corona, si bien
Rey te juraron los tuyos,
lealtad que en los castellanos
2380   solamente caber pudo,
mormuraban[88] en la Corte

---

83 **inmunidad:** Una ley decretada por Alfonso X prohibía crímenes o violencia contra una persona ante el rey o en el palacio, bajo pena de muerte.

84 **uso:** experiencia.

85 **Don Fernando el Emplazado:** Fernando IV, llamado el Emplazado ("the Summoned"), fue rey de Castilla y León desde 1295 a 1312. Según la leyenda, murió de repente después de haber sido emplazado ante el tribunal de Dios por los hermanos don Pedro y don Juan Caravajal, a quienes hizo matar injustamente.

86 **campar:** hacer guerra.

87 **los Laras:** miembros de una familia noble que fueron partidarios de don Sancho de la Cerda en el conflicto sobre el trono de Castilla. Véase la nota 75 del acto primero.

88 **mormurar:** murmurar.

que el Conde Garci Bermudo,
que de la paz y la guerra
era señor absoluto,
2385   por tu poca edad y hacer
reparo a tantos tumultos,
conspiraba a que eligiesen
de tu sangre Rey adulto,
y a don Sancho de la Cerda
2390   quieren decir que propuso,
si con mentira o verdad
ni le[89] defiendo ni arguyo;
mas los del Gobierno, antes
que fuese en el fin Danubio[90]
2395   lo que era apenas arroyo,
o fuese rayo futuro
lo que era apenas centella,
la vara, tronce robusto,
preso restaron[91] al Conde
2400   en el Alcázar de Burgos.
Don Sancho, con una hija
de dos años, huyó oculto,
que no fió su inocencia
del juicio de tus tribunos;[92]
2405   con la presteza, quedó
desvanecido el obscuro
nublado que a tu corona
amenazaba confuso;
su esposa,[93] que estaba cerca,
2410   vino a la ciudad, y trujo[94]

---

[89] **le:** lo.
[90] **Danubio:** "Danube".
[91] **restar:** arrestar.
[92] **tribuno:** juez.
[93] **su esposa:** se refiere a la esposa del Conde Garci Bermudo y madre de García.
[94] **trujo:** trajo.

consigo un hijo[95] que entraba
en los términos de un lustro;[96]
pidió de noche a los guardas
licencia de verle, y pudo
2415   alcanzarla, si no el llanto,
el poder de mil escudos.
"No vengo —le dijo—, esposo,
cuando te espera un verdugo,
a afligirte, sino a dar
2420   a tus desdichas refugio
y libertad." Y sacó
unas limas[97] de entre el rubio
cabello con que limar
de sus pies los hierros duros;
2425   y ya libre, le entregó
las riquezas que redujo
su poder,[98] y con su manto
de suerte al Conde compuso,
que entre los guardas salió
2430   desconocido y seguro
con su hijo; y entre tanto
que fatigaba los brutos[99]
andaluces, en su cama
sustituía otro bulto.
2435   Manifestóse el engaño
otro día, y presa estuvo,
hasta que en hombros salió
de la prisión al sepulcro.
En los montes de Toledo
2440   para el Conde entre desnudos

---

[95] **hijo:** se refiere al mismo García.
[96] **lustro:** período de cinco años.
[97] **lima:** "file".
[98] **que redujo su poder:** "which she had in her possession."
[99] **bruto:** caballo.

peñascos, y de una cueva
vivía el centro profundo,
hurtado a la diligencia
de los que en distintos rumbos
2445 le buscaron; que trocados
en abarcas los coturnos,[100]
la seda en pieles, un día
que se vio en el cristal puro
de un arroyo, que de un risco
2450 era precipicio inundo,[101]
hombre mentido[102] con pieles,
la barba y cabello infurto[103]
y pendientes de los hombros
en dos aristas diez juncos;[104]
2455 viendo su retrato en él,
sucedido de hombre en bruto,
se buscaba en el cristal
y no hallaba su trasunto,[105]
de cuyas campañas,[106] antes
2460 que a las flores los coluros[107]
del sol en el lienzo vario
diesen el postrer dibujo,
llevaba por alimento
fruta tosca en ramo inculto,
2465 agua clara en fresca piel,
dulce leche en vasos rudos,
y a la escasa luz que entraba
por la boca de aquel mustio

---

[100] **trocados . . . coturnos:** "having changed his (courtier's) boots for (a peasant's) sandals".

[101] **inundo:** inundado ("flooded").

[102] **mentido:** disfrazado.

[103] **infurto:** "matted".

[104] **y pendientes . . . diez juncos:** "and hanging over his shoulders like ten strands gathered into two tresses" (*arista:* "beard of grain").

[105] **trasunto:** "likeness, image".

[106] **cuyas campañas:** Nótese que el antecedente es *montes* en verso 2439.

[107] **coluro:** "colure, celestial circles".

bostezo que dio la tierra
2470 después del común diluvio,
al hijo las buenas letras
le enseñó, y era sin uso
ojos despiertos sin luz
y una fiera con estudio.[108]
2475 Pasó joven de los libros
al valle, y al colmilludo[109]
jabalí opuesto a su cueva,
volvía en su humor purpúreo.[110]
Tenía el anciano padre
2480 el rostro lleno de sulcos[111]
cuando le llamó la muerte,
débil, pero no caduco;
y al joven le dijo: "Orgaz
yace cerca, importa mucho
2485 vayas y digas al Conde
que a aqueste albergue noturno[112]
con un religioso venga,
que un deudo y amigo suyo
le llama para morir."
2490 Habló al Conde, y él dispuso
su viaje sin pedir
cartas de creencia[113] al nuncio.[114]
Llegan a la cueva, y hallan
débiles los flacos pulsos
2495 del Conde, que al huésped dijo,
viendo le observaba mudo:
"Ves aquí, Conde de Orgaz,

---

108 **al hijo . . . con estudio:** "he taught his son learning, and, without experience (in the world), it was as if he had his eyes open in the darkness, and he was like an educated beast."

109 **colmilludo:** "tusked".

110 **humor purpúreo:** sangre.

111 **sulco:** surco ("furrow").

112 **albergue noturno:** cueva nocturna.

113 **cartas de creencia:** "credentials".

114 **nuncio:** mensajero.

un rayo disuelto[115] en humo,
una estatua vuelta en polvos,
2500 un abatido Nabuco;[116]
éste es mi hijo." Y entonces
sobre mi cabeza puso
su débil mano. "Yo soy
el Conde Garci Bermudo;
2505 en ti y estas joyas tenga
contra los hados recurso
este hijo, de quien padre
piadoso te sostituyo."
Y en brazos de un religioso,
2510 pálido y los ojos turbios,
del cuerpo y alma la muerte
desató el estrecho nudo.
Llevámosle al Castañar
de noche, porque sus lutos
2515 nos prestase, y de los cielos
fuesen hachas[117] los carbunclos,[118]
adonde con mis riquezas
tierras compro y casas fundo;
y con Blanca me casé,
2520 como a Amor y al Conde plugo.
Vivía sin envidiar,
entre el arado y el yugo,
las Cortes, y de tus iras
encubierto me aseguro;
2525 hasta que anoche en mi casa
vi aqueste huésped perjuro
que en Blanca, atrevidamente,

---

[115] **disuelto:** "dissolved".

[116] **Nabuco:** Nabucodonosor II, rey de Babilonia y conquistador de Jerusalén. Castigado por Dios, se volvió loco, imaginando que era un buey; pero recobró la razón antes de morirse.

[117] **hacha:** "torch".

[118] **carbunclo:** (*fig.*) estrella.

los ojos lascivos puso;
y pensando que eras tú,
2530 por cierto engaño que dudo,
lo respeté, corrigiendo
con la lealtad lo iracundo;
hago alarde de mi sangre;
venzo al temor, con quien lucho;
2535 pídeme el honor venganza,
el puñal luciente empuño,
su corazón atravieso;
mírale muerto, que juzgo
me tuvieras por infame
2540 si a quien deste agravio acuso
le señalara a tus ojos
menos, señor, que difunto.
Aunque sea hijo del sol,
aunque de tus Grandes uno,
2545 aunque el primero en tu gracia,
aunque en tu imperio el segundo,
que esto soy, y éste es mi agravio,
éste el confesor injusto,
éste el brazo que le ha muerto,
2550 éste divida un verdugo;
pero en tanto que mi cuello
esté en mis hombros robusto,
no he de permitir me agravie,
del Rey abajo, ninguno.

REINA

¿Qué decís?

REY

2555   ¡Confuso estoy!

BLANCA

¿Qué importa[119] la vida pierda?
De don Sancho de la Cerda
la hija infelice soy;
     si mi esposo ha de morir,
2560 mueran juntas dos mitades.[120]

REY

¿Qué es esto, Conde?

CONDE

                    Verdades
que es forzoso descubrir.

REINA

Obligada a su perdón
estoy.

REY

     Mis brazos tomad;
2565 los vuestros, Blanca, me dad;
y de vos, Conde, la acción
     presente he de confiar.

GARCÍA

Pues toque el parche[121] sonoro,
que rayo soy contra el moro
2570 que fulminó[122] el Castañar.
     Y verán en sus campañas

---

119 Nótese la omisión de *que* delante de la cláusula subordinada.
120 **dos mitades:** es decir, dos mitades de la misma alma.
121 **parche:** tambor.
122 **fulminar:** arrojar.

correr mares de carmín,
dando con aquesto fin,
y principio a mis hazañas.

CUESTIONARIO

Sobre páginas 104–120

1. ¿Por qué es irónico el parlamento ("speech") del Conde que empieza con el verso 1684?

2. ¿Por qué se refiere el Conde a Blanca como Diana que sale de la fuente?

3. ¿Qué le pasó a García al levantar el brazo para matar a Blanca?

4. ¿Adónde manda el Conde a Blanca?

5. ¿Por qué cree García que Blanca no es muerta?

6. ¿Por qué dice García que tendrá que morir si vive Blanca?

7. ¿Por qué no puede decir García al Conde por qué quiso matar a Blanca?

8. ¿Piensa García que Blanca es culpable de agraviarle?

Sobre páginas 121–143

9. ¿Qué aprende Blanca en su conversación con la reina?

10. Por casualidad, ¿a quién manda la reina que guarde a Blanca?

11. ¿De qué se da cuenta Blanca en su diálogo con don Mendo?

12. Comente Ud. la tensión de la escena donde se enfrentan Blanca, García y don Mendo.

13. Después de irse don Mendo, ¿por qué pide Blanca que su esposo la mate?

14. ¿Cuándo se da cuenta García de que don Mendo no es el rey?

15. ¿Por qué no mata García a don Mendo en el escenario?

16. ¿A qué género dramático pertenece la obra? Comente Ud.

Bibliografía selecta

EDICIONES

Mesonero Romanos, Ramón de, ed., *Comedias escogidas de don Francisco de Rojas Zorrilla*. Tomo 54 de la *Biblioteca de Autores Españoles*. Madrid: Rivadeneyra, 1861. Contiene treinta comedias de Rojas.

Ruiz Morcuende, F., ed., *Teatro de Rojas*. Tomo 35 de *Clásicos Castellanos*. Madrid: Espasa-Calpe, 1944. Contiene *Del rey abajo, ninguno* y *Entre bobos anda el juego*.

ESTUDIOS CRITICOS

Cotarelo y Mori, Emilio, *Don Francisco de Rojas Zorrilla, noticias biográficas y bibliográficas*. Madrid: Imp. de la Revista de Archivos, 1911. Libro fundamental sobre el teatro de Rojas.

Fucilla, Joseph G., "Sobre las fuentes de *Del rey abajo, ninguno*", *Nueva Revista de Filología Hispánica*, V (1951), 381-393.

MacCurdy, Raymond R., *Francisco de Rojas Zorrilla and the Tragedy*. Albuquerque: University of New Mexico Press, 1958.

———, *Francisco de Rojas Zorrilla, bibliografía crítica*. Madrid: Consejo Superior de Investigaciones Científicas, 1965.

———, *Francisco de Rojas Zorrilla*. Twayne's World Authors Series, vol. 64. New York: Twayne Publishers, 1968.

Wardropper, Bruce W., "The Poetic World of Rojas Zorrilla's *Del rey abajo, ninguno*", *The Romanic Review*, LII (1961), 161–172.

Whitby, William M., "Appearance and Reality in *Del rey abajo, ninguno*", *Hispania*, XLII (1959), 186–191.